第九十一回　纵淫心宝蟾工设计　布疑阵宝玉妄谈禅

话说薛蝌正在狐疑，忽听窗外一笑，唬了一跳，心中想道：『不是宝蟾，定是金桂。只不理他们，看他们有什么法儿。』（令人想起潘金莲与武松、潘巧云与石秀。）听了半日，却又寂然无声。自己也不敢吃那酒果，掩上房门，刚要脱衣时，只听见窗纸上微微一响。薛蝌此时被宝蟾鬼混了一阵，心中七上八下，竟不知是如何是好，听见窗纸微响，细看时又无动静，自己反倒疑心起来，掩了怀，坐在灯前，呆呆的细想；又把那果子拿了一块，翻来复去的细看。猛回头，看见窗上纸湿了一块。走过来觑着眼看时，冷不防外面往里一吹，把薛蝌唬了一大跳，听得『吱吱』的笑声，薛蝌连忙把灯吹灭了，屏息而卧。只听外面一个人说道：『二爷为什么不喝酒吃果子，就睡了？』这句话仍是宝蟾的话音，薛蝌只不作声装睡。又隔有两句话时，又听得外面似有恨声道：『天下那里有这样没造化的人！』薛蝌听了是宝蟾，又似是金桂的语音，这才知道他们原来是这一番意思。翻来复去，直到五更后才睡着了。（这一类描写固然写出了其时某些女性的素质低下，却也反衬了封建礼法的无效，自愿受其辖制者自受辖制，视之如儿戏的人则视如儿戏。把薛蝌吓成这样则令人叹息。）

刚到天明，早有人来扣门。薛蝌忙问：『是谁？』外面也不答应。薛蝌只得起来，开了门看时，却是宝蟾，拢着头发，掩着怀，穿一件片锦边琵琶襟小紧身，上面系一条松花绿半新的汗巾，下面并未穿裙，正露着石榴红洒花夹裤，一双新绣红鞋。原来宝蟾尚未梳洗，恐怕人见，赶早来取家伙。薛蝌见他这样打扮便走进来，心中又是一动，只得陪笑问道：『怎么这样早就起来了？』宝蟾把脸红着，并不答言，只管把果子折在一个碟子里，端

着就走。薛蝌见他这般，知是昨晚的原故，心里想道：『这也罢了。倒是他们恼了，索性死了心，也省得来缠。』于是把心放下，唤人舀水洗脸，自己打算在家里静坐两天，一则养养心神，二则出去怕人找他。（有点人情世故，有点洞明练达了。）原来和薛蟠好的那些人，因见薛家无人，只有薛蝌在那里办事，年纪又轻，便生许多觊觎之心。也有想插在里头做跑腿的，也有得做状子的，认得一二个书役的，要给他上下打点的；甚至有叫他在内趁钱的；也有造作谣言恐吓的：种种不一。薛蝌见了这些人，远远躲避，又不敢面辞，恐怕激出意外之变，只好藏在家中听候转详，不提。（这个处境与思虑写得有理。）

且说金桂昨夜打发宝蟾送了些酒果去探探薛蝌的消息，宝蟾回来，将薛蝌的光景一一的说了。金桂见事有些不大投机，便怕白闹一场，反被宝蟾瞧不起；欲把两三句话遮饰，改过口来，又可惜了这个人。心里倒没了主意，怔怔的坐着。（恶主刁奴，关系微妙。）那知宝蟾亦知薛蟠难以回家，正欲寻个头路，因怕金桂拿他，所以不敢透漏。今见金桂所为，先已开了端了，他便乐得借风使船，先弄薛蝌到手，不怕金桂不依，所以用言挑拨。见薛蝌似非无情，又不甚兜揽，一时也不敢造次。后来见薛蝌吹灯自睡，大觉扫兴，回来告诉金桂，看金桂有甚方法，再作道理。及见金桂怔怔的，似乎无技可施，他也只得陪金桂收拾睡了。夜里那里睡得着？翻来复去，想出一个法子来：不如明儿一早起来，先去取了家伙，却自己换上一两件动人的衣服，也不梳洗，越显出一番娇媚来；只看薛蝌的神情，自己反倒装出一番恼意，索性不理他，那薛蝌若有悔心，自然移船泊岸，不愁不先到手。及至见了薛蝌，仍是昨晚这般光景，并无邪僻之意，自己只得以假为真，端了碟子回来；却故意留下酒壶，以为再来搭转之地。只见金

桂问道：『你拿东西去，有人碰见么？』宝蟾道：『也没有。』金桂因一夜不曾睡着，也想不出一个法子来，只得回思道：『若作此事，别人可瞒，宝蟾如何能瞒？不如我分惠于他，他自然没有不尽心的。我又不能自去，少不得要他作脚，倒不如和他商量一个稳便主意。』（如果讲对于既定秩序、体制的挑战，金桂、宝蟾亦是一种。只是显得不堪。）因带笑说道：『你看二爷到底是个怎么样的人？』宝蟾道：『倒像个糊涂人。』金桂听了笑道：『你如何说起爷们来了？』宝蟾也笑道：『他辜负奶奶的心，我就说得他！』（这问问答答、虚虚实实、试试探探，写得当好。）金桂道：『他怎么辜负我的心？你倒得说说。』（明知故问。有事的小姐与丫鬟之间，有一种虽同性而挑逗调笑的关系。）宝蟾道：『奶奶给他好东西吃，他倒不吃，这不是辜负奶奶的心么？』说着，却把眼溜着金桂一笑。金桂道：『你别胡想！我给他送东西，为大爷的事不辞劳苦，我所以敬他，又怕人说瞎话，所以问你。你这些话向我说，我不懂是什么意思。』宝蟾笑道：『奶奶别多心。我是跟奶奶的，还有两个心么？但是事情要密些，倘或声张起来，不是顽的。』

金桂也觉得脸飞红了，因说道：『你这个丫头，就不是个好货！想来你心里看上了，却拿我作筏子，是不是呢？』宝蟾道：『只是奶奶那么想罢咧，我到是替奶奶难受。奶奶要真瞧二爷好，我倒有个主意。奶奶想，「那个耗子不偷油」呢？（类似耗子偷油论，在贾母那里就是猫儿吃腥论。人之『性』，如猫如鼠之食欲。）他也不过怕事情不密，大家闹出乱子来不好看。依我想：奶奶且别性急，时常在他身上不周不备的去处，张罗张罗。他是个小叔子，又没娶媳妇儿，奶奶就多尽点心儿，和他贴个好儿，别人也说不出什么来。过几天，他感奶奶的情，他自然要谢候

奶奶。那时奶奶再备点东西儿在咱们屋里，我帮着奶奶灌醉了他，怕跑了他？他要不应，咱们索性闹起来，就说他调戏奶奶。他害怕，他自然得顺着咱们的手儿。他再不应，他也不是人，咱们也不至白丢了脸面。奶奶想怎么样？』（性阴谋。实在是人的堕落。动物交尾，至少没有别的阴谋算计。）金桂听了这话，两颧早已红晕了，笑骂道：『小蹄子，你倒偷过多少汉子的是的，怪不得大爷在家时，离不开你。』宝蟾把嘴一撇，笑说道：『罢哟！人家倒替奶奶拉纤，奶奶倒往我们说这个话咧。』从此，金桂一心笼络薛蝌，倒无心混闹了，家中也少觉安静。

当日宝蟾自去取了酒壶，仍是稳稳重重，一脸的正气。薛蝌偷眼看了，反倒后悔，疑心『或者是自己错想了他们，也未可知。果然如此，倒辜负了他这一番美意，保不住日后倒要和自己也闹起来，岂非自惹的呢？』过了两天，甚觉安静。薛蝌遇见宝蟾，宝蟾便低头走了，连眼皮儿也不抬；遇见金桂，金桂却一盆火儿的赶着。薛蝌见这般光景，反倒过意不去。这且不表。

且说宝钗母女觉得金桂几天安静，待人忽亲热起来，一家子都为罕事。薛姨妈十分欢喜，想到：『必是薛蟠娶这媳妇时冲犯了什么，才败坏了这几年。目今闹出这样事来，亏得家里有钱，贾府出力，方才有了指望。媳妇儿忽然安静起来，或者是蟠儿转过运气来了，也未可知。』（小小幽默。迷信常能具有幽默感。）于是自己心里倒以为希有之奇。这日饭后，扶了同贵过来，到金桂房里瞧瞧。走到院中，只听一个男人和金桂说话。同贵知机，便说道：『大奶奶，老太太过来了。』说着，已到门口，只见一个人影儿在房门后一躲。薛姨妈一吓，倒退了出来。金桂道：『太太请里头坐，没有外人。他就是我的过继兄弟，本住在屯里，不惯见人。因没有见过太太，今儿才来，还没去请

太太的安。』薛姨妈道：『既是舅爷，不妨见见。』金桂叫兄弟出来见了薛姨妈，作了一个揖，问了好。薛姨妈也问了好，坐下叙起话来。薛姨妈道：『舅爷上京几时了？』那夏三道：『前月我妈没有人管家，把我过继来的。前日才进京，今日来瞧姐姐。』薛姨妈看那人不尴尬，于是略坐坐儿，便起身道：『舅爷坐着罢。』回头向金桂道：『舅爷头上末下的来，留在咱们这里吃了饭再去罢。』金桂答应着，薛姨妈自去了。

金桂见婆婆去了，便向夏三道：『你坐着。今日可是过了明路的了，省得我们二爷查考你。我今日还叫你买些东西，只别叫众人看见。』夏三道：『这个交给我就完了。你要什么，只要有钱，我就买得来。』金桂道：『且别说嘴。你买上了当，我可不收。』说着，二人又笑了一回，然后金桂陪夏三吃了晚饭，又告诉他买的东西，又嘱咐一回，夏三自去。从此夏三往来不绝。虽有个年老的门上人，知是舅爷，也不常回。从此生出无限风波。这是后话不表。

在中国传统小说中，『红』也不例外，男人的性要求性活动（只要不是乱伦）都是合理的，是风流，是『馋嘴儿猫』（四十四回，贾母语）难免的。而女性哪怕只是调情，也是大逆不道。不但要受到社会的严惩，也受到小说的嘲笑。男尊女卑，男权中心，男性的性霸权主义，令人发指。

一日，薛蟠有信寄回，薛姨妈打开叫宝钗看时，上写：

男在县里也不受苦，母亲放心。但昨日县里书办说，府里已经准详，想是我们的情到了。岂知府里详上去，道里反驳下来。亏得县里主文相公好，即刻做了回文顶上去了，那道里却把知县申饬。现在道里要亲提，若一上去，

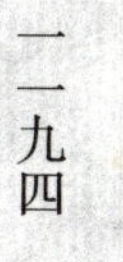

又要吃苦。必是道里没有托到。母亲见字，快快托人求道爷去。还叫兄弟快来，不然，就要解道。银子短不得。火速，火速！（网状结构，不可大意。『撕掳』开死罪，谈何容易。这样写合理。）

薛姨妈听了，又哭了一场，自不必说。薛蝌一面劝慰，一面说道：『事不宜迟。』薛姨妈没法，只得叫薛蝌到县照料，命人即便收拾行李，兑了银子，家人李祥本在那里照应的，薛蝌又同了一个当中伙计，连夜起程。那时手忙脚乱，虽有下人办理，宝钗又恐他们思想不到，亲来帮着，直闹至四更才歇。到底富家女子娇养惯的，心上又急，又苦劳了一会，晚上就发烧，到了明日，汤水都吃不下。莺儿去回了薛姨妈。

薛姨妈急来看时，只见宝钗满面通红，身如燔灼，话都不说。薛姨妈慌了手脚，便哭得死去活来。宝琴扶着劝薛姨妈。秋菱也泪如泉涌，只管叫着。宝钗不能说话，手也不能摇动，眼干鼻塞。叫人请医调治，渐渐苏醒回来，薛姨妈等大家略略放心。早惊动荣宁两府的人。先是凤姐打发人送十香返魂丹来，随后王夫人又送至宝丹来，贾母邢王二夫人以及尤氏等都打发丫头来问候，却都不叫宝玉知道。一连治了七八天，终不见效。还是他自己想起『冷香丸』，吃了三丸，才得病好。后来宝玉也知道了，因病好了，没有瞧去。（又温习冷香丸的故事。宝钗病好了，宝玉没有瞧去，这个说法未免简略过分，不太稳得住。）

那时薛蝌又有信回来。薛姨妈看了，怕宝钗耽忧，也不叫他知道，自己来求王夫人，并述了一会子宝钗的病。薛姨妈去后，王夫人又求贾政。贾政道：『此事上头可托，底下难托，必须打点才好。』王夫人又提起宝钗的事来，因说道：『这孩子也苦了。既是我家的人了，也该早些娶了过来才是，别叫他遭塌坏了身子。』贾政道：『我

也是这么想。但是他家乱忙，况且如今到了冬底，已经年近岁逼，不无各自要料理些家务。今冬且放了定，明春再过礼。过了老太太的生日，就定日子娶。你把这番话先告诉薛姨太太。』（何时给宝玉娶亲，作者其实是煞费苦心。太早了爱情主线结束得太早，黛玉死得太早，影响此后情节的吸引力。晚了则他婚后的情节展不开，而且还有一大批重要人物死的死散的散，不好处理得太集中。）王夫人答应了。

到了明日，王夫人将贾政的话向薛姨妈述了，薛姨妈想着也是。到了饭后，王夫人陪着来到贾母房中，大家让了坐。贾母道：『姨太太才过来？』薛姨妈道：『还是昨儿过来的，因为晚了，没得过来给老太太请安。』王夫人便把贾政昨夜所说的话向贾母述了一遍，贾母甚喜。说着，宝玉进来了，贾母便问道：『吃了饭了没有？』宝玉道：『才打学房里回来，吃了，要往学房里去，先见见老太太。又听见说姨妈来了，过来给姨妈请请安。』因问：『宝姐姐可大好了？』薛姨妈笑道：『好了。』原来方才大家正说着，见宝玉进来，都煞住了。（这倒有趣。）宝玉坐了坐，见薛姨妈情形不似从前亲热，『虽是此刻没有心情，也不犯大家都不言语。』满腹猜疑，自往学中去了。（蒙在鼓里。）

晚间回来，都见过了，便往潇湘馆来。掀帘进去，紫鹃接着。见里间屋内无人，宝玉道：『姑娘那里去了？』紫鹃道：『上屋里去了。知道薛姨妈过来，姑娘请安去了。二爷没有到上屋里去么？』宝玉道：『我去了来的，没有见你姑娘。』紫鹃道：『这也奇了。』宝玉问：『姑娘到底那里去了？』紫鹃道：『不定。』宝玉往外便走，刚出屋门，只见黛玉带着雪雁，冉冉而来。宝玉道：『妹妹回来了。』缩身退步进来。黛玉进来，走入里间屋内，便请宝玉里头坐，紫鹃拿了一件外罩换上，然后坐下，问道：『你上去，看见姨妈没有？』宝玉道：『见过了。』

黛玉道：『姨妈说起我没有？』宝玉道：『不但没有说起你，连见了我也不像先时亲热。今日我问起宝姐姐病来，他不过笑了一笑，并不答言。难道怪我这两天没有去瞧他么？』黛玉笑了一笑，道：『你去瞧过没有？』宝玉道：『头几天不知道；这两天知道了，也没有去。』黛玉道：『可不是！』宝玉道：『老太太不叫我去，太太也不叫我去，老爷又不叫我去，我如何敢去？若是像从前这扇小门走得通的时候，我一天瞧他十趟也不难。如今把门堵了，要打前头过去，自然不便了。』黛玉道：『他那里知道这个原故。』（各有各的想法。裤裆里放屁——两岔里走了。）宝玉道：『宝姐姐为人是最体谅我的。』黛玉道：『你不要自己打错了主意。若论宝姐姐，更不体谅，又不是姨妈病，是宝姐姐病。向来在园中做诗，赏花，饮酒，何等热闹，如今隔开了，你看见他家里有事了，他病到那步田地，你没事人一般，他怎么不恼呢？』（黛玉讲这一大段话的潜台词很复杂，她有进一步观察宝玉与宝钗的情感关系的意思，有实际上的满意，又有表面的猜测与回答宝玉的疑问……）宝玉道：『这样，难道宝姐姐便不和我好了不成？』黛玉道：『他和你好不好，我却不知，我也不过是照理而论。』

宝玉听了，瞪着眼呆了半晌。黛玉看见宝玉这样光景，也不睬他，只是自己叫人添了香，又翻出书来，细看了一会。只见宝玉把眉一皱，把脚一跺，道：『我想这个人，生他做什么！天地间没有了我，倒也干净！』（这是一个古老的困难问题。哈姆雷特式的问题。）黛玉道：『原是有了我，便有了人；有了人，便有无数的烦恼生出来：恐怖，颠倒，梦想，更有许多缠碍。才刚我说的，都是顽话。你不过是看见姨妈没精打彩，如何便疑到宝姐姐身上去？姨妈过来原为他的官司事情，心绪不宁，那里还来应酬你？都是你自己心上胡思乱想，钻入魔道里去了。』宝玉豁然开朗，笑道：『狠是，狠是。你的性灵，比我竟强远了。怨不得前年我生气的时候，你和我说过几句禅语，我实在对不上来。我虽丈六金身，还藉你一茎所化。』

黛玉乘此机会，说道：『我便问你一句话，你如何回答？』宝玉盘着腿，合着手，闭着眼，嘘着嘴，道：『进来。』黛玉道：『宝姐姐和你好，你怎么样？宝姐姐不和你好，你怎么样？宝姐姐前儿和你好，如今不和你好，你怎么样？今儿和你好，后来不和你好，你怎么样？你和他好，他偏不和你好，你怎么样？你不和他好，他偏要和你好，你怎么样？』（其实已经单刀直入，却采取更换符号系统的方式。）宝玉呆了半晌，忽然大笑道：『任凭弱水三千，我只取一瓢饮。』黛玉道：『瓢之漂水，奈何？』宝玉道：『非瓢漂水，水自流，瓢自漂耳。』黛玉道：『水止珠沉，奈何？』宝玉道：『禅心已作沾泥絮，莫向春风舞鹧鸪。』黛玉道：『禅门第一戒是不打诳语的。』宝玉道：『有如三宝。』（有点像密电码，对暗号，讲黑话了。换一套符号系统，进行一次小小的「口试」。宝玉所答合格，态度明确。）

黛玉低头不语。只听见檐外老鸹『呱呱』的叫了几声，便飞向东南上去。宝玉道：『不知主何吉凶？』黛玉道：『人有吉凶事，不在鸟音中。』忽见秋纹走来说道：『请二爷回去。老爷叫人到园里来问过，说：二爷打学里回来了没有？袭人姐姐只说：「已经来了。」快去罢。』吓的宝玉站起身来，往外忙走。黛玉也不敢相留。未知何事，下回分解。（妄谈禅云云，写得好，解决了一些心曲不通的难题。）

续作包括以下几个内容：一、不断温习前八十回故事。二、不断重演或变相重演前八十回故事。三、横向补充前八十回未及写的生活内容或学问：操琴、占卜、八股文，等等。四、缓缓推进人和事走向结局，结局的基调是：家败人亡，有情人不成眷属。

内忧外患，各有麻烦，本来情况比较好的薛家也陷入困境，有此关难过之势。金桂、宝蟾对薛蝌的骚扰本极低俗，但她们热火朝天的下流反而衬显了黛玉、宝玉的无能、沉闷、无计可施。卑下者虽未必聪明，高贵者却注定愚蠢。

第九十二回　评女传巧姐慕贤良　玩母珠贾政参聚散

话说宝玉从潇湘馆出来，连忙问秋纹道：『老爷叫我作什么？』秋纹笑道：『没有叫。袭人姐姐叫我请二爷，我怕你不来，才哄你的。』（也是老伎俩。）宝玉听了，才把心放下，因说：『你们请我也罢了，何苦来唬我？』说着，回到怡红院内。袭人便问道：『你这好半天到那里去了？』宝玉道：『在林姑娘那边，说起薛姨妈宝姐姐的事来，就坐住了。』袭人又问道：『说些什么？』（袭人事事『监管』宝玉，实叫人受不了。）宝玉将打禅语的话述了一遍。袭人道：『你们再没个计较。正经说些家常闲话儿，或讲究些诗句，也是好的，怎么又说到禅语上了？又不是和尚。』宝玉道：『你不知道，我们有我们的禅机，别人是插不下嘴去的。』袭人笑道：『你们参禅参翻了，又叫我们跟着打闷葫芦了。』（旁观者只能打闷葫芦。）宝玉道：『头里我也年纪小，他也孩子气，所以我说了不留神的话，他就恼了。如今我也留神，他也没有恼的了。只是他近来不常过来，我又念书，偶然到一处，好像生疏了是的。』袭人道：『原该这么着才是。都长了几岁年纪了，怎么好意思还像小孩子时候的样子？』

宝玉点头道：『我也知道。如今且不用说那个。我问你：老太太那里打发人来说什么来着没有？』袭人道：

『没有说什么。』宝玉道：『必是老太太忘了。明儿不是十一月初一日么？年年老太太那里必是个老规矩，要办「消寒会」，齐打伙儿坐下，喝酒说笑。我今日已经在学房里告了假了。这会子没有信儿，明儿可是去不去呢？若去了呢，白白的告了假，若不去，老爷知道了，又说我偷懒。』袭人道：『据我说，你竟是去的是，才念的好些儿了，又想歇着。依我说也该上紧些才好。昨儿听见太太说，兰哥儿念书真好，他打学房里回来，还各自念书作文章，天天晚上弄到四更多天才睡。（再为兰哥儿的前程铺垫。对贾兰终无生动描写，不过也是符号而已。）你比他大多了，又是叔叔，倘或赶不上他，又叫老太太生气，倒不如明儿早起去罢。』麝月道：『这样冷天，已经告了假，又去，倒叫学房里说：既这么着，就不该告假呀。显见的是告谎假，脱滑儿。依我说，落得歇一天。就是老太太忘记了，咱们这里就不消寒了么？咱们也闹个会儿，不好么？』（越有计谋，越心细就越两难——拿不定主意。）袭人道：『都是你起头儿，二爷更不肯去了。』麝月道：『我也是乐一天是一天，比不得你要好名儿，使唤一个月，再多得二两银子。』（也与袭人有矛盾。晴雯没有了，还有别人，不平则鸣，这是压不住的。）袭人啐道：『小蹄子！人家说正经话，你又来胡拉混扯的了。』麝月道：『我倒不是混拉扯，我是为你。』袭人道：『为我什么？』麝月道：『二爷上学去了，你又该咕嘟着嘴想着，巴不得二爷早一刻儿回来，就有说有笑的了。这会子又假撇清，何苦呢！我都看见了。』（后四十回，很难提供新的信息，麝月的反讽，立马令人想起晴雯，似乎前边已有类似的情节与语言。）

袭人正要骂他，只见老太太那里打发人来，说道：『老太太说了，叫二爷明儿不用上学去呢。明儿请了姨太太来给他解闷，只怕姑娘们都来家里的。史姑娘、邢姑娘、李姑娘们都请了，明儿来赴什么「消寒会」呢。』宝

玉没有听完，便喜欢道：『可不是？老太太最高兴的，明日不上学，是过了明路的了。』袭人也便不言语了。那丫头回去。宝玉认真念了几天书，巴不得顽这一天，又听见薛姨妈过来，想着宝姐姐自然也来，心里喜欢，便说：『快睡罢，明日早些起来。』于是一夜无话。

到了次日，果然一早到老太太那里请了安，又到贾政王夫人那里请了安，回明了老太太今儿不叫上学。贾政也没言语，便慢慢退出来。走了几步，便一溜烟跑到贾母房中。见众人都没来，只有凤姐那边的奶妈子，带了巧姐儿，跟着几个小丫头，过来给老太太请了安，说：『我妈妈先叫我来请安，陪着老太太说说话儿。妈妈回来就来。』贾母笑着道：『好孩子，我一早就起来了。等他们总不来，只有你二叔叔来了。』那奶妈子便说：『姑娘，给你二叔叔请安。』宝玉也问了一声『妞妞好？』巧姐儿道：『我昨夜听见我妈妈说，要请二叔叔去说话。』宝玉道：『说什么呢？』巧姐儿道：『我妈妈说，跟着李妈认了几年字，不知道我认得不认得。我说：「都认得。我认给妈妈瞧。」妈妈说我瞎认，不信，说我一天尽子顽，那里认得！我瞧着那些字也不要紧，就是那《女孝经》也是容易念的。妈妈说我哄他，要请二叔叔得空儿的时候给我理理。』贾母听了，笑道：『好孩子，你妈妈是不认得字的，所以说你哄他。明儿叫你二叔叔理给他瞧瞧，他就信了。』宝玉道：『你认了多少字了？』巧姐儿道：『认了三千多字。念了一本《女孝经》，半个月头里又上了《列女传》。』（已达「脱盲」标准。）宝玉道：『你念了懂得吗？你要不懂，我倒是讲讲这个你听罢。』贾母道：『做叔叔的也该讲究给侄女儿听听。』

宝玉给巧姐讲《列女传》，未免不伦不类。小说至此，再补充一个巧姐的形象，也不易。

宝玉道：『那文王后妃是不必说了。想来是知道的。那姜后脱簪待罪，齐国的无盐虽丑，能安邦定国，是后妃里头的贤能的。若说有才的，是曹大姑，班婕妤、蔡文姬、谢道韫诸人。孟光的荆钗裙布，鲍宣妻的提瓮出汲，陶侃母的截发留宾，还有画荻教子的，这是不厌贫的。那苦的里头有乐昌公主破镜重圆，苏蕙的回文感主。那孝的是更多了，木兰代父从军，曹娥投水寻父的尸首等类也多，我也说不得许多。那个曹氏的引刀割鼻，是魏国的故事。那守节的更多了，只好慢慢的讲。若是那些艳的，王嫱、西子、樊素、小蛮、绛仙等，妒的是秃妾发、怨洛神等类也少，文君、红拂，是女中的……』（这一段讲述，从今人的观点看，缺少了叛逆性独特性，从宝玉看，他不可能言必反封建、言必造反有理，前八十回他也有循规蹈矩处。从『红』全书来看，也需要这些东西圆一圆，『红』毕竟不是、不敢是也不可能是『打倒孔家店』的宣传品。）贾母听到这里，说：『彀了，不用说了。你讲的太多，他那里还记得呢。』巧姐儿道：『二叔叔才说的，也有念过的，也有没念过的。念过的二叔叔一讲，我更知道了好些。』宝玉道：『那字是自然认得的了，不用再理。明儿我还上学呢。』巧姐儿道：『我还听见我妈妈昨儿说：我们家的小红，头里是二叔叔那里的，我妈妈要了来，还没有补上人呢。我妈妈想着要把什么柳家的五儿补上，不知二叔叔要不要。』（巧姐儿怎么像个『小人精』。）宝玉听了更喜欢，笑着道：『你听你妈妈的话，要补谁就补谁罢咧，又问什么要不要呢！』因又向贾母笑道：『我瞧大姐姐这个小模样儿，又有这个聪明儿，只怕将来比凤姐姐还强呢，又比他认的字。』贾母道：『女孩儿家认得字呢也好，只是女工针黹倒是要紧的。』（宝钗讲过这个理论。）巧姐儿道：『我也跟着刘妈妈学着做呢。什么扎花儿咧，拉锁子，我虽弄不好，却也学着会做几针儿。』贾母道：『咱们这样人家，固然不仗着自己做，但只到底知道些，日后才不受人家的拿捏。』巧姐儿答应着『是』，还要宝玉解说《列女传》，见宝玉呆呆的，也不敢再说。（又一位理想女性的苗子。）

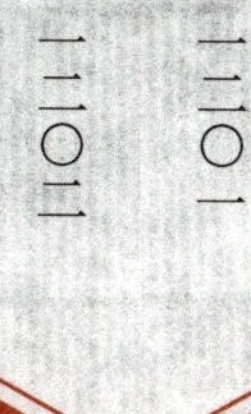

你道宝玉呆的是什么？只因柳五儿要进怡红院，头一次是他病了，不能进来；第二次王夫人撵了晴雯，大凡有些姿色的，都不敢挑；后来又在吴贵家看晴雯去，五儿跟着他妈给晴雯送东西去，见了一面，更觉娇娜妩媚。今日亏得凤姐想着，叫他补入小红的窝儿，竟是喜出望外了，所以呆呆的想他。（前面柳五儿的故事十分精彩，至平儿判冤决狱，她的前半部故事便完了。即使屡屡提及，也只是防止读者忘掉而已，没什么意思。）

贾母等着那些人，见这时候还不来，又叫丫头去请。回来李纨同着他妹子、探春、惜春、史湘云、黛玉都来了。大家请了贾母的安，众人厮见。独有薛姨妈未到，贾母又叫请去。果然姨妈带着宝琴过来。（吃完鹿肉联完诗，宝琴亦无事可做了。）宝玉请了安，问了好，只不见宝钗邢岫烟二人。黛玉便问起：『宝姐姐为何不来？』薛姨妈假说身上不好。邢岫烟知道薛姨妈在坐，所以不来。宝玉虽见宝钗不来，心中纳闷，因黛玉来了，便把想宝钗的心暂且搁开。

不多时，邢王二夫人也来了。凤姐听见婆婆们先到了，自己不好落后，只得打发平儿先来告假，说是：『正要过来，因身上发热，过一回儿就来。』贾母道：『既是身上不好，不来也罢。咱们这时候狠该吃饭了。』丫头们把火盆往后挪了一挪儿，就在贾母榻前一溜摆下两桌，大家序次坐下。吃了饭，依旧围炉闲谈，不须多赘。

且说凤姐因何不来？头里为着倒比邢王二夫人迟了不好意思，后来旺儿家的来回说：『迎姑娘那里打发人来

请奶奶安，还说并没有到上头，只到奶奶这里来。』凤姐听了纳闷，不知又是什么事，便叫那人进来，问：『姑娘在家好？』那人道：『有什么好的！奴才并不是姑娘打发来的，实在是司棋的母亲央我来求奶奶的。』（司棋故事插在这里，更只是交代过程而已了。）凤姐道：『司棋已经出去了，为什么来求我？』那人道：『自从司棋出去，终日啼哭。忽然那一日，他表兄来了。他母亲见了，恨的什么是的，说他害了司棋，一把拉住要打。那小子不敢言语。谁知司棋听见了，急忙出来，老着脸，和他母亲道：「我是为他出来的，我也恨他没良心。如今他来了，妈要打他，不如勒死了我。」他母亲骂他：「不害臊的东西！你心里要怎么样？」司棋说道：「一个女人配一个男人。我一时失脚，上了他的当，我就是他的人了，决不肯再失身给别人的。我恨他为什么这样胆小！「一身作事一身当」，为什么要逃？就是他一辈子不来了，我也一辈子不嫁人的。妈要给我配人，我原拚着一死的。今儿他来了，妈问他怎么样。若是他不改心，我在妈跟前磕了头，只当是我死了，他到那里，我跟到那里，就是讨饭吃也是愿意的。」他妈气得了不得，便哭着骂着说：「你是我的女儿，我偏不给他，你敢怎么着？」那知道那司棋这东西糊涂，便一头撞在墙上，把脑袋撞破，鲜血直流，竟死了。他妈哭着，救不过来，便要叫那小子偿命。他表兄也奇：「你们不用着急。我在外头原发了财，因想着他才回来的，心也算是真了。你们若不信，只管瞧。」说着，打怀里掏出一匣子金珠首饰来。他妈妈看见了，便心软了，说：「你既有心，为什么总不言语？」（失之毫厘，差之千里，失之分秒，遗恨终身，对于读者来说则是遗恨世世代代。其实莎士比亚的悲剧如《罗密欧与朱丽叶》，也用这种戏剧化的手段。）他外甥道：「大凡女人都是水性杨花，我若说有钱，他便是贪图银钱了。如今，他只为人就是难得的。我把金珠给你们，我去买棺盛殓他。」那司棋的母亲接了东西，也不顾女孩儿了，便由着外甥去。那里知道他外甥叫人抬了两口棺材来。司棋的母亲看见，咤异说：「怎么棺材要两口？」他外甥笑道：「一口装不下，得两口才好。」司棋的母亲见他外甥又不哭，只当是他心疼的傻了。岂知他忙着把司棋收拾了，也不啼哭，眼错不见，把带的小刀子往脖子里一抹，也就抹死了。（何等悲壮，何等壮烈！殉情亦如殉国，是有点『精神』的。本是中国的罗密欧与朱丽叶，无奈写得太粗。另此处对于司棋表兄的描写似与前边不谐，前边是写他胆小跑掉的。）司棋的母亲懊悔起来，倒哭得了不得。如今坊上知道了，要报官。他急了，央我来求奶奶说个人情，他再过来给奶奶磕头。』

完全是中国的罗密欧与朱丽叶。可惜是通过不相干人的口转述，等于暗场处理。大大影响了感人的效果。这也和续作者的观念有关，司棋是丫头，又有『不名誉』的风流韵事，不能大书特书。故事毕竟动人，毁在续作者手里了。

凤姐听了，咤异道：『那有这样傻丫头，偏偏的就碰见这个傻小子！怪不得那一天翻出那些东西来，他心里没事人是的。敢只是这么个烈性孩子。（能爱的人，珍惜爱情的人，非癫即傻。只有摒弃了爱，才能聪明。此亦『大智大勇』之谓也。）论起来我也没这么大工夫管他这些闲事，但只你才说的，叫人听着，怪可怜见儿的。也罢了，你回去告诉他，我和你二爷说，打发旺儿给他撕掳就是了。』凤姐打发那人去了，才过贾母这边来，不提。（从抄检到驱逐，是王夫人主的事，故凤姐能表达对司棋的小有怜惜。）

且说贾政这日正与詹光下大棋，通局的输赢也差不多，单为着一只角儿，死活未分，在那里打结。门上的小厮进来回道：『外面冯大爷要见老爷。』贾政道：『请进来。』小厮出去请了，冯紫英走进门来，贾政即忙迎着。

冯紫英进来，在书房中坐下，见是下棋，便道：『只管下棋，我来观局。』詹光笑道：『晚生的棋是不堪瞧的。』冯紫英道：『好说，请下罢。』贾政道：『有什么事么？』冯紫英道：『没有什么话。老伯只管下棋，我也学几着儿。』（下棋始终没有描写好，没有写出『神』写出『味』来。）贾政向詹光道：『冯大爷是我们相好的，既没事，我们索性下完了这一局再说话儿。冯大爷在旁边瞧着。』冯紫英道：『下采不下采？』詹光道：『下采的。』冯紫英道：『下采的是不好多嘴的。』贾政道：『多嘴也不妨，横竖他输了十来两银子，终久是不拿出来的。往后只好罚他做东便了。』詹光笑道：『这倒使得。』冯紫英道：『老伯和詹公对下么？』贾政笑道：『从前对下，他输了；如今让他两个子儿，他又输了。时常还要悔几着，不叫他悔，他就急了。』詹光也笑道：『没有的事。』贾政道：『你试试瞧。』（孩子话。）大家一面说笑，一面下完了，做起棋来，詹光还了棋头，输了七个子儿。冯紫英道：『这盘终吃亏在打结里头。老伯结少，就便宜了。』

贾政对冯紫英道：『有罪，有罪，咱们说话儿罢。』冯紫英道：『小侄与老伯久不见面。一来会会，二来因广西的同知进来引见，带了四种洋货，可以做得贡的。一件是围屏，有二十四扇槅子，都是紫檀雕刻的。中间虽说不是玉，却是绝好的硝子石，石上镂出山水、人物、楼台、花鸟等物。一扇上有五六十个人，都是宫妆的女子。名为「汉宫春晓」。人的眉、目、口、鼻以及出手、衣褶，刻的又清楚，又细腻。点缀布置，都是好的。我想尊府大观园中正厅上却可用得着。还有一个钟表，有三尺多高，也是一个小童儿拿着时辰牌，到了什么时候，他就报什么时辰；里头也有些人在那里打十番的。这是两件重笨的，却还没有拿来。现在我带在这里两件，却有些意

思儿。』就在身边拿出一个锦匣子，见几重白绵裹着，揭开了绵子，第一层是一个玻璃盒子，里头金托子，大红绉绸托底，上放着一颗桂圆大的珠子，光华耀目。冯紫英道：『据说这就叫做「母珠」。』因叫：『拿一个盘儿来。』詹光即忙端过一个黑漆茶盘，道：『使得么？』冯紫英道：『使得。』便又向怀里掏出一个白绢包儿，将包儿里的珠子都倒在盘里散着，把那颗母珠搁在中间，将盘置于桌上。看见那些小珠子儿，滴溜滴溜都滚到大珠身边来，一回儿把这颗大珠子抬高了，别处的小珠子一颗也不剩，都粘在大珠上。詹光道：『这也奇怪！』贾政道：『这是有的，所以叫做「母珠」，原是珠之母。』（此物颇离奇。不知是真还是夸张性的道听途说之语。）

那冯紫英又回头看着他跟来的小厮道：『那个匣子呢？』那小厮赶忙捧过一个花梨木匣子来。大家打开看时，原来匣内衬着虎纹锦，锦上叠着一束蓝纱。詹光道：『这是什么东西？』冯紫英道：『这叫做「鲛绡帐」。』在匣子里拿出来时，叠得长不满五寸，厚不上半寸。冯紫英一层一层的打开，打到十来层，已经桌上铺不下了。冯紫英道：『你看，里头还有两褶，必得高屋里去，才张得下。这就是鲛丝所织。暑热天气，张在堂屋里头，苍蝇蚊子，一个不能进来，又轻又亮。』贾政道：『不用全打开，怕叠起来倒费事。』詹光便与冯紫英一层一层折好收拾。冯紫英道：『这四件东西，价儿也不狠贵，两万银他就卖。母珠一万，鲛绡帐五千，「汉宫春晓」与自鸣钟五千。』贾政道：『那里买的起。』（以物的豪华珍奇反衬家道的艰难衰败。物日益奇巧、神奇、贵重，人日益紧张、贫困、垂涎三尺了，这是恒久的死结。）冯紫英道：『你们是个国戚，难道宫里头用不着么？』贾政道：『用得着的狠多，只是那里有这些银子？等我叫人拿进去给老太太瞧瞧。』冯紫英道：『狠是。』

写物，也是『红』的一个重要内容。稀罕之物，豪华之物，讲究之物，预兆之物……炫物以示人。物是荣华富贵的表现。是纪念也是哀悼。物依旧而人全非。当然，通过物也能表现人的命运。运至物来，运去物走，故曰『身外』。

贾政便着人叫贾琏把这两件东西送到老太太那边去，并叫人请了邢王二夫人、凤姐儿都来瞧着，又把两样东西一一试过。贾琏道：『他还有两件：一件是围屏，一件是乐钟。共总要卖二万银子呢。』凤姐儿接着道：『东西自然是好的，但是那里有这些闲钱？咱们又不比外任督抚要办贡。我已经想了好些年了，像咱们这种人家，必得置些不动摇的根基才好：或是祭地，或是义庄，再置些坟屋。往后子孙遇见不得意的事，还是点儿底子，不到一败涂地。我的意思是这样，不知老太太、老爷、太太们怎么样？（可卿托梦早早讲过，凤姐刚刚想起来么？）若是外头老爷们要买只管买。』贾母与众人都说：『这话说的倒也是。』贾琏道：『还了他罢。原是老爷叫我送给老太太瞧，为的是宫里好进，谁说买来搁在家里？老太太还没开口，你便说了一大些丧气话。』说着，便把两件东西拿了出去，告诉贾政，只说：『老太太不要。』便与冯紫英道：『这两件东西，好可好，就只没银子。我替你留心，有要买的人我便送信给你去。』

冯紫英只得收拾好，坐下说些闲话，没有兴头，就要起身。贾政道：『你在我这里吃了晚饭去罢。』冯紫英道：『罢了，来了就叨扰老伯吗？』贾政道：『说那里的话！』正说着，人回：『大老爷来了。』贾赦早已进来。彼此相见，叙些寒温。不一时，摆上酒来，肴馔罗列，大家喝着酒。至四五巡后，说起洋货的话。冯紫英道：『这种货本是难消的。除非要像尊府这种人家，还可消得，其余就难了。』贾政道：『这也不见得。』贾赦道：『我

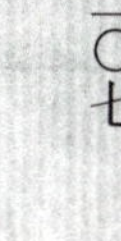

们家里也比不得从前了，这回儿也不过是个空门面。』（贾赦也明白了？『空门面』三字概括力极强，是没落大户的写照。）冯紫英又问：『东府珍大爷可好么？我前儿见他，说起家常话儿来，提到他令郎续娶的媳妇远不及头里那位秦氏奶奶了。如今后娶的到底是那一家的？我也没有问起。』贾政道：『我们这个侄孙媳妇儿也是这里大家，从前做过京畿道的胡老爷的女孩儿。』（无姓无名的这位『贾蓉媳妇』二世，终于有了出处。当是续作者发了不忍之心吧。）冯紫英道：『胡道长我是知道的。但是他家教上也不怎么样。也罢了，只要姑娘好就好。』

贾琏道：『听得内阁里人说起，雨村又要升了。』贾政道：『这也好。不知准不准？』贾琏道：『大约有意思的了。』冯紫英道：『我今儿从吏部里来，也听见这样说。雨村老先生是贵本家不是？』贾政道：『是。』冯紫英道：『是有服的，还是无服的？』贾政道：『说也话长。他原籍是浙江湖州府人，流寓到苏州，甚不得意。有个甄士隐和他相好，时常周济他。已后中了进士，得了榜下知县，便娶了甄家的丫头。如今的太太不是正配。岂知甄士隐弄到零落不堪，没有找处。雨村革了职以后，那时还与我家并未相识。只因舍妹丈林如海林公在扬州巡盐的时候，请他在家做西席，外甥女儿是他的学生。因他有起复的信，要进京来，恰好外甥女儿要上来探亲，林姑老爷便托他照应上来的。还有一封荐书托我吹嘘吹嘘。那时看他不错，大家常会。岂知雨村也奇：我家世袭起，从『代』字辈下来，宁荣两宅，人口房舍，以及起居事宜，一概都明白。因此，遂觉得亲热了。』（都是温习旧事，毫无『信息量』。）因又笑说道：『几年间，门子也会钻了，由知府推升转了御史，不过几年，升了吏部侍郎，署兵部尚书。为着一件事降了三级。如今又要升了。』冯紫英道：『人世的荣枯，仕途的得失，终属难定。』贾政道：

『像雨村算便宜的了。还有我们差不多的人家，就是甄家，从前一样功勋，一样的世袭，一样的起居，我们也是时常往来。不多几年，他们进京来，差人到我这里请安，狠还热闹。一会儿抄了原籍的家财，至今杳无音信。不知他近况若何，心下也着实惦记，看了这样，你想做官的怕不怕。』（怕也还要做官，如一句粗话所说——狗改不了……）贾赦道：『咱们家是最没有事的。』冯紫英道：『果然尊府是不怕的。一则里头有贵妃照应，二则故旧好，亲戚多，三则你家自老太太起，至于少爷们，没有一个刁钻刻薄的。』（刁钻刻薄必败。不刁钻刻薄却也未必胜。贾政的自我评价还算有自知之明。）贾政道：『虽无刁钻刻薄，却没有德行才情。白白的衣租食税，那里当得起？』贾赦道：『咱们不用说这些话，大家吃酒罢。』大家又喝了几杯，摆上饭来。吃毕喝茶。冯家的小厮走来，轻轻的向紫英说了一句。冯紫英便要告辞了。贾赦贾政道：『你说什么？』小厮道：『外面下雪，早已下了梆子了。』贾政叫人看时，已是雪深一寸多了。贾政道：『那两件东西，你收拾好了么？』冯紫英道：『收好了。若尊府要用，价钱还自然让些。』贾政道：『我留神就是了。』（这样说便自然些，留有余地些也礼貌些。）冯紫英道：『我再听信罢。天气冷，请罢，别送了。』贾赦贾政便命贾琏送了出去。未知后事如何，下回分解。

由冯紫英推销贵重商品到贾家买不起，上上下下叹息，就此谈起仕途沉浮、家业荣枯来，倒很自然。眼见一个轰轰烈烈的家族冷寂下来，最后再给以致命一击，便也是定数了。

千头万绪，大致写得立体，也算面面俱到，殊不易。但多数文笔给人以似曾相识感。

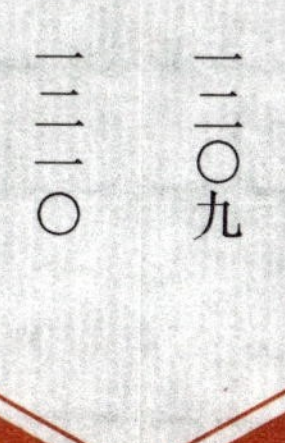

第九十三回　甄家仆投靠贾家门　水月庵掀翻风月案

却说冯紫英去后，贾政叫门上的人来吩咐道：『今儿临安伯那里来请吃酒，知道是什么事？』门上的人道：『奴才曾问过，并没有什么喜庆事，不过南安王府里到了一班小戏子，都说是个名班，伯爷高兴，唱两天戏，请相好的老爷们瞧瞧，热闹热闹。大约不用送礼的。』（平平淡淡，白水豆腐。）说着，贾赦过来问道：『明儿二老爷去不去？』贾政道：『承他亲热，怎么好不去的？』说着，门上进来回道：『衙门里书办来请老爷明日上衙门。有堂派的事，必得早些去。』贾政道：『知道了。』说着，只见两个管屯里地租子的家人走来，请了安，磕了头，旁边站着。贾政道：『你们是郝家庄的？』两个答应了一声。贾政也不往下问，竟与贾赦各自说了一回话儿散了。家人等秉着手灯，送过贾赦去。

这里贾琏便叫那管租的人道：『说你的。』那人说道：『十月里的租子，奴才已经赶上来了。原是明儿可到，谁知京外拿车，把车上的东西，不由分说，都掀在地下。奴才告诉他，说是府里收租子的车，不是买卖车，他更不管这些。奴才叫车夫只管拉着走，几个衙役就把车夫混打了一顿，硬扯了两辆车去了。（短短几行字，可以想象当时社会的无法无天的黑暗，这样的描写还是很尖锐的，即使前八十回亦绝无仅有。）奴才所以先来回报。求爷打发个人到衙门里去要了来才好。再者，也整治整治这些无法无天的差役才好。爷还不知道呢，更可怜的是那买卖车，客商的东西全不顾，掀下来，赶着就走。那些赶车的但说句话，打的头破血出的。』（略涉民疾民瘼。）贾琏听了，骂道：『这个还了得！』立刻写了一个帖儿，叫家人：『拿去向拿车的衙门里要车去，并车上东西。若少了一件，是不依的！

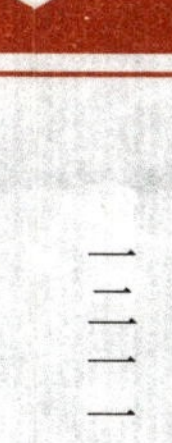

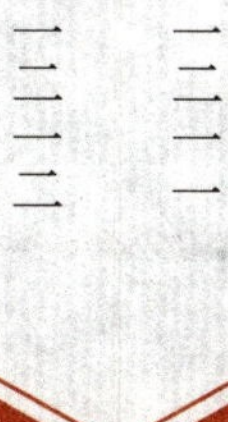

快叫周瑞。』周瑞不在家，又叫旺儿。旺儿晌午出去了，还没有回来。贾琏道：『这些忘八羔子，一个都不在家，他们终年家吃粮不管事。』（涣散。指挥不灵。）因吩咐小厮们：『快给我找去。』说着，也回到自己屋里，睡下不题。

且说临安伯第二天又打发人来请。贾政告诉贾赦道：『我是衙门里有事。琏儿要在家等候拿车的事情，也不能去。倒是大老爷带宝玉应酬一天也罢了。』贾赦点头道：『也使得。』贾政遣人去叫宝玉，说：『今儿跟大爷到临安伯那里听戏去。』（宝玉随贾赦活动，这种老少组合在『红』中还是第一回。这样的安排使『红』的网络结构添加了一点活泛。）宝玉喜欢的了不得，便换上衣服，带了焙茗、扫红、锄药三个小子，出来见了贾赦，请了安，上了车，来到临安伯府里。门上人回进去，一会子出来说：『老爷请。』于是贾赦带着宝玉走入院内，只见宾客喧阗。贾赦宝玉见了临安伯，又与众宾客都见过了礼，大家坐着，说笑了一回。只见一个掌班的拿着一本戏单，一个牙笏，向上打了一个千儿，说道：『求各位老爷赏戏。』先从尊位点起，挨至贾赦，也点了一出。那人回头见了宝玉，便不向别处去，竟抢步上来，打个千儿道：『求二爷赏两出。』

宝玉一见那人，面如傅粉，唇若涂朱，鲜润如出水芙蕖，飘扬似临风玉树：原来不是别人，就是蒋玉函。（这样发引到蒋玉函身上，算是自然。）前日听得他带了小戏儿进京，也没有到自己那里；此时见了，又不好站起来，只得笑道：『你多早晚来的？』蒋玉函把手在自己身子上一指，笑道：『怎么二爷不知道么？』宝玉因众人在坐，也难说话，只得胡乱点了一出。蒋玉函去了，便有几个议论道：『此人是谁？』有的说：『他向来是唱小旦的，如今不肯唱小旦，年纪也大了，就在府里掌班。头里也改过小生。他也攒了好几个钱，家里已经有两三个铺子，只是不肯放下本业，原旧领班。』有的说：『想必成了家了。』有的说：『亲还没有定。他倒拿定一个主意，说是人生配偶，关系一生一世的事，不是混闹得的，不论尊卑贵贱，总要配的上他的才能。所以到如今还并没娶亲。』（前面放出去的线索，最后要一一归拢。）宝玉暗忖度道：『不知日后谁家的女孩儿嫁他？要嫁着这样的人才儿，也算是不辜负了。』（前缘已定，莫失莫忘。）

按写法，蒋玉函这个人物相当重要，自始至终，贯穿到底。惜实写甚少，只是一个影子。

那时开了戏，也有昆腔，也有高腔，也有弋腔，梆子腔，做得热闹。到了晌午，便摆开桌子吃酒。又看了一回，贾赦便欲起身。临安伯过来留道：『天色尚早。听见说蒋玉函还有一出《占花魁》，他们顶好的首戏。』宝玉听了，巴不得贾赦不走；于是贾赦又坐了一会。果然蒋玉函扮着秦小官，伏侍花魁醉后神情，把这一种怜香惜玉的意思，做得极情尽致。以后对饮对唱，缠绵缱绻。宝玉这时不看花魁，只把两支眼睛独射在秦小官身上。更加蒋玉函声音响亮，口齿清楚，按腔落板，宝玉的神魂都唱了进去了。直等这出戏进场后，更知蒋玉函极是情种，非寻常戏子可比。（『戏子』都应是情种。）因想着：『《乐记》上说的是：「情动于中，故形于声；声成文，谓之音。」所以知声，知音，知乐，有许多讲究。声音之原，不可不察。诗词一道但能传情，不能入骨，自后想要讲究讲究音律。』宝玉想出了神，忽见贾赦起身，主人不及相留。宝玉没法，只得跟了回来。（进入后四十回以来，虽屡有蒋玉函出现，终没有什么性格，也没有什么『戏』。）

到了家中，贾赦自回那边去了。宝玉来见贾政。贾政才下衙门，正向贾琏问起拿车之事。贾琏道：『今儿叫

人拿帖儿去，知县不在家。他的门上说了：「这是本官不知道的，并无牌票出去拿车，都是那些混帐东西在外头撒野挤讹头。既是老爷府里的，我便立刻叫人去追办，包管明儿连车连东西一并送来。如有半点差迟，再行禀过本官，重重处治。此刻本官不在家，求这里老爷看破些，可以不用本官知道更好。」贾政道：「既无官票，到底是何等样人在那里作怪？」贾琏道：「老爷不知，外头都是这样。想来明儿必定送来的。」（社会黑暗，秩序混乱，衙役横行，可见一斑。衙已不衙，家已不家，庵已不庵，奴已不奴，社会角色均失去了应有的明晰、制约与平衡。另有黑社会，与正规官衙无关，也与普通百姓无关。）贾琏说完下来。宝玉上去见了。贾政问了几句，便叫他往老太太那里去。

贾琏因为昨夜叫空了家人，出来传唤，那起人多已伺候齐全。贾琏骂了一顿，叫大管家赖升：「将各行档的花名册子拿来，你去查点查点，写一张谕帖，叫那些人知道。若有并未告假，私自出去，传唤不到，贻误公事的，立刻给我打了撵出去！」赖升连忙答应了几个「是」，出来吩咐了一回，家人各自留意。

过不几时，忽见有一个人，头上戴着毡帽，身上穿着一身青布衣裳，脚下穿着一双撒鞋，走到门上，向众人作了个揖。众人拿眼上上下下打谅了他一番，便问他：「是那里来的？」那人道：「我自南边甄府中来的。并有家老爷手书一封，求这里的爷们呈上尊老爷。」（突兀，无味，写来读来寡淡得很。）众人听见他是甄府来的，才站起来让他坐下，道：「你乏了，且坐坐。我们给你回就是了。」门上一面进来回明贾政，呈上来书。贾政拆书看时，上写着：

世交夙好，气谊素敦，遥仰襜帷，不胜依切。弟因菲材获谴，自分万死难偿，幸邀宽宥，待罪边隅。迄今门

户雕零，家人星散。所有奴子包勇，向曾使用，虽无奇技，人尚悫实。倘使得备奔走，糊口有资，屋乌之爱，感佩无涯矣！专此奉达，余容再叙，不宣。

贾政看完，笑道：「这里正因人多，甄家倒荐人来。又不好却的。」（包勇似乎是从天上掉下来的。盖在焦大被灌马粪和年老以后，贾府已无生成忠仆的环境、土壤，忠仆只能「引进」。顺便提一提甄家，令人咀嚼。）吩咐门上：「叫他见我，且留他住下，因材使用便了。」门上出去，带进人来，见贾政，便磕了三个头，起来道：「家老爷请老爷安。」自己又打个千儿，说：「包勇请老爷安。」贾政回问了甄老爷的好，便把他上下一瞧，但见包勇身长五尺有零，肩背宽肥，浓眉爆眼，磕额长髯，气色粗黑，垂着手站着。（典型的忠奴模样。）便问道：「你是向来在甄家的，还是住过几年的？」包勇道：「小的向在甄家的。」贾政道：「你如今为什么要出来呢？」包勇道：「小的原不肯出来，只是家爷再四叫小的出来，说是别处你不肯去，这里老爷家里只当原在自己家里一样的，所以小的来的。」贾政道：「你们老爷不该有这事情，弄到这样的田地。」包勇道：「小的本不敢说，我们老爷只是太好了，一味的真心待人，反倒招出事来。」贾政道：「真心是最好的了。」包勇道：「因为太真了，人人都不喜欢，讨人厌烦是有的。」（「红中已有此叹，着实可叹！真则讨嫌，但能有忠奴。）贾政笑了一笑道：「既这样，皇天自然不负他的。」

包勇还要说时，贾政又问道：「我听见说你们家的哥儿不是也叫宝玉么？」包勇道：「是。」贾政道：「他还肯向上巴结么？」包勇道：「老爷若问我们哥儿，倒是一段奇事。哥儿的脾气也和我家老爷一个样子，也是一味的诚实，从小儿只管和那些姐妹们在一处顽。老爷太太也狠打过几次，他只是不改。那一年太太进京的时候儿，

哥儿大病了一场，已经死了半日，把老爷几乎急死，装裹都预备了。幸喜后来好了，嘴里说道：走到一座牌楼那里，见了一个姑娘，领着他到了一座庙里，见了好些柜子，里头见了好些册子；又到屋里，见了无数女子，说是多变了鬼怪似的，也有变做骷髅儿的；他吓急了，便哭喊起来。（回应第五回宝玉的神游太虚境。人生只有一次，选择的机会也不会再现，倒是写小说好，可以一分为二、为三、为数个不同的版本）老爷知他醒过来了，连忙调治，渐渐的好了。老爷仍叫他在姐妹们一处顽去，他竟改了脾气了；好着时候的玩意儿一概都不要了，惟有念书为事。就有什么人来引诱他，他也全不动心。如今渐渐的能彀帮着老爷料理些家务了。」（这里有一个脱胎换骨，彻底改造成功的宝玉。提醒去设想：如果宝玉是另一种选择呢？）贾政默然想了一回，道：「你去歇歇去罢。等这里用着你时，自然派你一个行次儿。」包勇答应着，退下来，跟着这里人出去歇息不提。

甄宝玉变成了真正的封建社会的宝玉了？以意为之的痕迹太重。甄、贾宝玉的互映互比，本是极佳的艺术构思，但这一构思并没有得到艺术的体现。好比有了好的战略计划，却没有一支部队去打赢。好的艺术情节、艺术语言、艺术细节，有时比好的构思还难。

一日贾政早起，刚要上衙门，看见门上那些人在那里交头接耳，好像要使贾政知道的是的，又不好明回，只管咕咕唧唧的说话。贾政叫上来问道：「你们有什么事这么鬼鬼祟祟的？」门上的人回道：「奴才们不敢说。」贾政道：「有什么事不敢说的？」门上的人道：「奴才今儿起来，开门出去，见门上贴着一张白纸，上写着许多不成事体的字。」贾政道：「那里有这样的事！写的是什么？」门上的人道：「是水月庵里的腌臜话。」贾政道：「拿给我瞧。」门上的人道：「奴才本要揭下来，谁知他帖的结实，揭不下来，只得一面抄，一面洗。刚才李德揭了

一张给奴才瞧，就是那门上帖的话。奴才们不敢隐瞒。」（一个信息交通十分迟滞的环境里，「揭帖」确实带有相当的爆炸性。当然，坏人也会利用这种形式。大小字报——揭帖，「红」已有之。大小民主，「红」已有之。）说着，呈上那帖儿。贾政接来看时，上面写着：

「西贝草斤」年纪轻，水月庵里管尼僧。

一个男人多少女，窝娼聚赌是陶情。

不肖子弟来办事，荣国府内出新闻。

贾政看了，气得头昏目晕，赶着叫门上的人不许声张，悄悄叫人往宁荣两府靠近的夹道子墙壁上再去找寻。随即叫人去唤贾琏出来。贾琏即忙赶至。贾政忙问道：「水月庵中寄居的那些女尼女道，向来你也查考查考过没有？」贾琏道：「没有，一向都是芹儿在那里照管。」贾政道：「你知道芹儿照管得来，照管不来？」贾琏道：「老爷既这么说，想来芹儿必有不妥当的地方儿。」贾政叹道：「你瞧瞧这个帖儿写的是什么。」贾琏一看道：「有这样事么。」正说着，只见贾蓉走来，拿着一封书子，写着「二老爷密启」。打开看时，也是无头榜一张，与门上所帖的话相同。（匿名信一类。）贾政道：「快叫赖大带了三四辆车子到水月庵里去，把那些女尼女道士一齐拉回来。不许泄漏，只说里头传唤。」赖大领命去了。

且说水月庵中小女尼女道士等，初到庵中，沙弥与道士原系老尼收管，日间教他些经忏。已后元妃不用，也便习学得懒怠了。那些女孩子们年纪渐渐的大了，都也有个知觉了。更兼贾芹也是风流人物，打量芳官等出家，

只是小孩子性儿，便去招惹他们。那知芳官竟是真心，不能上手，便把这心肠移到女尼女道士身上。因那小沙弥中有个名叫沁香的，和女道士中有个叫做鹤仙的，长的都甚妖娆，贾芹便和这两个人勾搭上了，闲时便学些丝弦，唱个曲儿。（芳官在『寿怡红群芳开夜宴』中达到顶峰，抄检大观园后她已经『死』了。被扼杀的一个又一个！）

那时正当十月中旬，贾芹给庵中那些人领了月例银子，便想起法儿来，告诉众人道：『我为你们领月钱，不能进城，又只得在这里歇着。怪冷的，怎么样？我今儿带些果子酒，大家吃着乐一夜，好不好？』那些女孩子都高兴，便摆起桌子，连本庵的女尼也叫了来。惟有芳官不来。贾芹喝了几杯，便说道要行令。沁香等道：『我们都不会，倒不如搳拳罢。谁输了喝一杯，岂不爽快？』本庵的女尼道：『这天刚过晌午，混嚷混喝的不像，且先喝几钟，爱散的先散去。谁爱陪芹大爷的，回来晚上尽子喝去，我也不管。』（有人，就有人的欲望。人欲不能走明处，便走暗处，走黑处，便成为犯罪。水月庵里不仅有水中之月，清凉世界里其实也不清凉。）

正说着，只见道婆急忙进来说：『快散了罢，府里赖大爷来了。』众女尼忙乱收拾，便叫贾芹躲开。贾芹因多喝了几杯，便道：『我是送月钱来的，怕什么！』话犹未完，已见赖大进来。见这般样子，心里大怒。为的是贾政吩咐不许声张，只得含糊装笑道：『芹大爷也在这里呢么？』贾芹连忙站起来道：『赖大爷，你来作什么？』赖大说：『大爷在这里更好。快快叫沙弥道士收拾，上车进城，宫里传呢。』贾芹等不知原故，还要细问。赖大说：『天已不早了，快快的，好赶进城。』众女孩子只得一齐上车。赖大骑着大走骡，押着赶进城，不提。（一句话就变成了被押解的犯人。）

却说贾政知道这事，气得衙门也不能上了，独坐在内书房叹气。贾琏也不敢走开。忽见门上的进来禀道：『衙门里今夜该班是张老爷，因张老爷病了，（腐烂。每个角落都在霉变。）有知会来请老爷补一班。』贾政正等赖大回来要办贾芹，此时又要该班，心里纳闷，也不言语。贾琏走上去说道：『赖大是饭后出去的，水月庵离城二十来里，就赶进城，也得二更天。今日又是老爷的帮班，请老爷只管去。赖大来了，叫他押着，也别声张，等明儿老爷回来再发落。倘或芹儿来了，也不用说明，看他明儿见了老爷怎么样说。』贾政听来有理，只得上班去了。贾琏抽空才要回到自己房中，一面走着，心里抱怨凤姐出的主意，欲要埋怨，因他病着，只是隐忍，慢慢的走着。（可以说凤姐用人不当，也可以说这里并无正当之人可用。）

且说那些下人，一人传十，传到里头，先是平儿知道，即忙告诉凤姐。凤姐因那一夜不好，恹恹的总没精神，正是惦记铁槛寺的事情。听说『外头贴了匿名揭帖』的一句话，吓了一跳，忙问：『贴的是什么？』（凤姐也怕曝光。）平儿随口答应，不留神，就错说了，道：『没要紧，是馒头庵里的事情。』凤姐本是心虚，听见『馒头庵的事情』，这一唬直唬怔了，一句话没说出来，急火上攻，眼前发晕，咳嗽了一阵，哇的一声，吐出一口血来。（是账，就需要还。天下没有不需要还的账。）平儿慌了，说道：『水月庵里，不过是女沙弥女道士的事，奶奶着什么急？』凤姐听是水月庵，才定了定神，说道：『呸，糊涂东西！到底是水月庵呢，是馒头庵？』平儿笑道：『是我头里错听了，是馒头庵，后来听见不是馒头庵，是水月庵。我刚才也说溜了嘴，说成馒头庵了。』凤姐道：『我就知道是水月庵。那馒头庵与我什么相干！原是这水月庵是我叫芹儿管的。大约刻扣了月钱。』平儿道：『我听着不像月钱的事，还有些腌臜话呢。』凤姐道：『我更不管那个。你二爷那里去了？』平儿说：『听见老爷生气，他不敢走开。我听见事情不好，我吩咐这些人不许吵嚷，不知太太们知道了么。但听见说，老爷叫赖大拿这些女孩子去了。且叫个人前头打听打听。奶奶现在病着，依我竟先别管他们的闲事。』

正说着，只见贾琏进来。凤姐欲待问他，见贾琏一脸的怒气，暂且装作不知。贾琏饭没吃完，旺儿来说：『外头请爷呢，赖大回来了。』贾琏道：『芹儿来了没有？』旺儿道：『也来了。』贾琏便道：『你去告诉赖大，说：老爷上班儿去了，把这些个女孩子暂且收在园里，明日等老爷回来，送进宫去。只叫芹儿在内书房等着我。』旺儿去了。贾芹走进书房，只见那些下人指指点点不知说什么，看起这个样儿来，不像宫里要人。想着问人，又问不出来。正在心里疑惑，只见贾琏走出来，贾芹便请了安，垂手侍立，说道：『不知道娘娘宫里即刻传那些孩子们做什么？叫侄儿好赶！幸喜侄儿今儿送月钱去，还没有走，便同着赖大来了。二叔想来是知道的。』贾琏道：『我知道什么？你才是明白的呢！』（从品德上看，琏、芹本是一丘之貉。）贾芹摸不着头脑儿，也不敢再问。贾琏道：『你干的好事！把老爷都气坏了。』贾芹道：『侄儿没有干什么。庵里月钱是月月给的，孩子们经忏是不忘记的。』贾琏见他不知，又是平素常在一处顽笑的，便叹口气道：『打嘴的东西！你各自去瞧瞧罢。』便从靴掖儿里头拿出那个揭帖来，扔与他瞧。贾芹拾来一看，吓得面如土色，说道：『这是谁干的！我并没得罪人，为什么这么坑我？我一月送钱去，只走一趟，并没有这些事。若是老爷回来，打着我问，侄儿便该死了。我母亲知道，更要打死。』（一个揭帖竟有这等威力。）说着，见没人在旁边，便跪下去说道：『好叔叔，救我一救儿罢！』说着，只管磕头，满眼

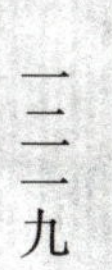

流泪。贾琏想道：『老爷最恼这些，要是问准了有这些事，这场气也不小。闹出去也不好听，又长那个贴帖儿的人的志气了。将来咱们的事多着呢。倒不如趁着老爷上班儿，和赖大商量着，若混过去，就可以没事了。现在没有对证。』（也是关系网。贾政愈『正』，就愈脱离生活，脱离实际，永远被蒙在鼓里。）想定主意，便说：『你别瞒我。你干的鬼鬼祟祟的事，你打谅我都不知道呢。若要完事，就是老爷打着问你，你一口咬定没有才好。（抗拒才能从宽。）没脸的，起去罢！』叫人去唤赖大。

不多时，赖大来了，贾琏便与他商量。赖大说：『这芹大爷本来闹的不像了。奴才今儿到庵里的时候，他们正在那里喝酒呢。帖儿上的话，是一定有的。』贾琏道：『芹儿，你听！赖大还赖你不成？』贾芹此时红涨了脸，一句也不敢言语。还是贾琏拉着赖大，央他：『护庇护庇罢，只说贾芹哥儿在家里找来的。你带了他去，只说没有见我。明日你求老爷，也不用问那些女孩子了。竟是叫了媒人来，领了去，一卖完事。果然娘娘再要的时候儿，咱们再买。』（以捂起来应对，其结果是越捂越黑，后患无尽。）赖大想来，闹也无益，且名声不好，就应了。贾琏叫贾芹：『跟了赖大爷去罢！听着他教你，你就跟着他。』说罢，贾芹又磕了一个头，跟着赖大出去。到了没人的地方儿，又给赖大磕头。赖大说：『我的小爷，你太闹的不像了。不知得罪了谁，闹出这个乱儿。你想想，谁和你不对罢？』贾芹想了一想，忽然想起一个人来，未知是谁，下回分解。

一个豪门望族，真正的人物很少，纠纠缠缠的鼠窃狗偷之徒、爬虫癞蛀之类附着的很多。水至清则无鱼，清是困难的。一条浑水弄脏一河一江水，浑了也是不行的。贾政思清，实际无能治家。琏、凤之类本身就是『四不清干部』，奈何！水月庵事本写得合情

合理，惜无生动细节，草草交代而已。甄家仆包勇来投，也只是就事论事，平铺直叙。甄宝玉『改邪归正』或有意思，但写得粗率。甄家是理念的产物，写不出活气来。

有照应也有发展，可以讲得通。小字报与匿名信，说明的是言路不通、缺少监督情况下的大路不通走小道的必然。

第九十四回　宴海棠贾母赏花妖　失宝玉通灵知奇祸

话说赖大带了贾芹出来，一宿无话，静候贾政回来。单是那些女尼女道重进园来，都喜欢的了不得，欲要到各处逛逛，明日预备进宫。不料赖大便吩咐了看园的婆子并小厮看守，惟给了些饭食，却是一步不准走开。那些女孩子摸不着头脑，只得坐着，等到天亮。园里各处的丫头虽都知道拉进女尼们来，预备宫里使唤，却也不能深知原委。

到了明日早起，贾政正要下班，因堂上发下两省城工估销册子，立刻要查核，一时不能回家，便叫人回来告诉贾琏，说：『赖大回来，你务必查问明白。该如何办就如何办了，不必等我。』（阴差阳错，让贾芹溜了过去。风气已恶劣至此，即使贾政大动干戈也不会收到比抄检大观园更好的效果。）贾琏奉命，先替芹儿喜欢，又想道：『若是办得一点影儿都没有，又恐贾政生疑，不如回明二太太讨个主意办去，便是不合老爷的心，我也不至甚担干系。』主意定了，进内去见王夫人，陈说：『昨日老爷见了揭帖生气，把芹儿和女尼女道等都叫进府来查办。今日老爷没空问这种不成体统的事，叫我来回太太，该怎么便怎么样。我所以来请示太太，这件事如何办理？』（把矛盾转嫁到王夫人这里，应算高明，后果就更不堪了。）王夫人听了诧异道：『这是怎么说！若是芹儿这么样起来，这还成咱们家的人了么？但只这个贴帖儿的也可恶！这些话可是混嚼说得的么？你到底问了芹儿有这件事没有呢？』（王夫人既不欢迎一个办事的人被揭发，也不欢迎揭发别人的人。）贾琏道：『刚才也问过了。太太想，别说他干了没有，就是干了，一个人干了混账事也肯应承么？但只我想芹儿也不敢行此事：知道那些女孩子都是娘娘一时要叫的，倘或闹出事来，怎么样呢？依侄儿的主见，要问也不难，若问出来，太太怎么个办法呢？』王夫人道：『如今那些女孩子在那里？』贾琏道：『都在园里锁着呢。』王夫人道：『姑娘们知道不知道？』贾琏道：『大约姑娘们也都知道是预备宫里头的话，外头并没提起别的来。』王夫人道：『很是。这些东西一刻也是留不得的。头里我原要打发他们去来着，都是你们说留着好，如今不是弄出事来了么？（凡年轻女性，王夫人大体恨之入骨。）你竟叫赖大那些人带去细细的问他的本家有人没有，将文书查出，花上几十两银子，雇只船，派个妥当人，送到本地，一概连文书发还了，也落得无事。若是为着一两个不好，个个都押着他们还俗，那又太造孽了；若在这里发给官媒，虽然我们不要身价，他们弄去卖钱，那里顾人的死活呢？芹儿呢，你便狠狠的说他一顿，除了祭祀喜庆，无事叫他不用到这里来。看仔细碰在老爷气头儿上，那可就吃不了兜着走了。（『吃不了兜着走』，此话沿用至今。）并说与账房儿里，把这一项钱粮档子销了。还打发个人到水月庵说：老爷的谕，除了上坟烧纸，要有本家爷们到他那里去，不许接待。若再有一点不好风声，连老姑子一并撵出去。』

贾琏一一答应了出去，将王夫人的话告诉赖大，说：『是太太主意，叫你这么办去。办完了，告诉我去回太太。你快办去罢。回来老爷来，你也按着太太的话回去。』（请示太太是假，摆脱干系与责任是真。）赖大听说，便道：『我们太太真正是个佛心，这班东西着人送回去。既是太太好心，不得不挑个好人。芹哥儿竟交给二爷开发了罢。那贴帖儿的，奴才想法儿查出来，重重的收拾他才好。』贾琏点头说：『是了。』即刻将贾芹发落。赖大也赶着把女尼等领出，按着主意办去了。晚上贾政回来，贾琏赖大回明贾政。贾政本是省事的人，听了也便撂开手了。独有那些无赖之徒，听得贾府发出二十四个女孩子出来，那个不想？究竟那些人能彀回家不能，未知着落，亦难虚拟。（某种意义上，掀翻风月案是抄检大观园的重演。同样，第一次是悲剧，第二次是喜剧。一、实际接受了贴小字报的人的意思，处理了有关事宜。在实际处理上是『宁信其有』。二、坚决惩办贴帖的人，在用人上，是『宁爱其无』。这个结局甚合情理，又留下伏笔——贾芹真正的兴风作浪，还在后头呢。）

且说紫鹃因黛玉渐好，园中无事，听见女尼等预备宫内使唤，不知何事，便到贾母那边打听打听。恰遇着鸳鸯下来闲着，坐下说闲话儿，提起女尼的事，鸳鸯咤异道：『我并没有听见。回来问问二奶奶就知道了。』正说着，只见傅试家两个女人过来请贾母的安，鸳鸯要陪了上去。那两个女人因贾母正睡晌觉，就与鸳鸯说了一声儿，回去了。紫鹃问：『这是谁家差来的？』鸳鸯道：『好讨人嫌！家里有了一个女孩儿，生得好些，便献宝的是的，常常在老太太面前夸他家姑娘长得怎么好，心地怎么好，礼貌上又能，说话儿又简绝，做活计儿手儿又巧，会写会算，尊长上头最孝敬的，就是待下人也是极和平的，来了就编这么一大套，常常说给老太太听。

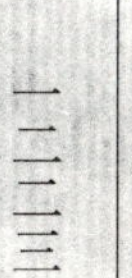

我听着狠烦，这几个老婆子真讨人嫌。我们老太太偏爱听那些个话！老太太也罢了，还有宝玉，素常见了老婆子，便狠厌烦的，偏见了他们家的老婆子便不厌烦，你说奇不奇？前儿还来说：他们姑娘现有多少人家儿来求亲，他们老爷总不肯应，心里只要和咱们这种人家作亲才肯。一回夸奖，一回奉承，把老太太的心都说活了。』紫鹃听了一呆，便假意道：『若老太太喜欢，为什么不就给宝玉定了呢？』（为了宝玉的婚事，左一个陪衬右一个陪衬，前一个陪衬后一个陪衬。）

鸳鸯正要说出原故，听见上头说：『老太太醒了。』鸳鸯赶着上去，紫鹃只得起身出来。回到园里，一头走，一头想道：『天下莫非只有一个宝玉？你也想他，我也想他。（宝玉的这种地位，令旁人羡慕，令自己和有关女子何等苦恼！）我们家的那一位，越发痴心起来了。看他的那个神情儿，是一定在宝玉身上的了。三番五次的病，可不是为着这个是什么！这家里「金」的「银」的还闹不清，若添了一个什么傅姑娘，更了不得了。我看宝玉的心也在我们那一位的身上；听着鸳鸯的说话，竟是见一个爱一个的。（『在我们那一位的身上』属实，『见一个爱一个』亦属实。）这不是我们姑娘白操了心了吗？』紫鹃本是想着黛玉，往下一想，连自己也不得主意了，不免掉下泪来。要想叫黛玉不用瞎操心呢，又恐怕他烦恼；若是看着他这样，又可怜见儿的。左思右想，一时烦躁起来，自己啐自己道：『你替人耽什么忧！就是林姑娘真配了宝玉，他的那性情儿也是难伏侍的。宝玉性情虽好，又是贪多嚼不烂的。（实话。『贪多嚼不烂』云云，有趣。）我倒劝人不必瞎操心呢！从今已后，我尽我的心伏侍姑娘，其余的事全不管。』（为人而不瞎操心，确能清净，但亦无味了许多。）这么一想，心里倒觉清净。回到潇湘馆来，见黛玉独自一人，坐在炕上理从前做过的诗文词稿，抬头见紫鹃来，便问：『你到那里去了？』紫鹃道：『我今儿睄了睄姐妹们去。』（这一问一答蛮妙。）黛玉道：『敢是找袭人姐姐去么？』紫鹃道：『我找他做什么？』

黛玉一想，这话怎么顺嘴说了出来？反觉不好意思，便啐道：『你找谁与我什么相干！倒茶去罢。』紫鹃也心里暗笑，出来倒茶。只听见园里一叠声乱嚷，不知何故。一面倒茶，一面叫人去打听。回来说道：『怡红院里的海棠本来萎了几棵，也没人去浇灌他。昨日宝玉走去瞧，见枝头上好像有了蓇朵儿是的。人都不信，没有理他。忽然今日开得狠好的海棠花，众人咤异，都争着去看，连老太太、太太都哄动了，来瞧花儿呢。所以大奶奶叫人收拾园里败叶枯枝，这些人在那里传唤。』

（萎而又开，小阳春开花，这在植物界都是有的。人怎么看？就有触景生情，『接受美学』的意思了。）

黛玉也听见了，知道老太太来，便更了衣，叫雪雁去打听：『若是老太太来了，即来告诉我。』雪雁去不多时，便跑来说：『老太太、太太好些人都来了，请姑娘就去罢。』黛玉略自照了一照镜子，掠了一掠鬓发，便扶着紫鹃到怡红院来，已见老太太坐在宝玉常卧的榻上。黛玉便说道：『请老太太安。』退后便见了邢王二夫人，回来与李纨、探春、惜春、邢岫烟彼此问了好。只有凤姐因病未来；史湘云因他叔叔调任回京，接了家去；薛宝琴跟他姐姐家去住了；李家姐妹因见园内多事，李婶娘带了在外居住：所以黛玉今日见的只有数人。大家说笑了一回，讲究这花开得古怪。贾母道：『这花儿应在三月里开的，如今虽是十一月，因节气迟，还算十月，应着小阳春的天气，因为和暖，开花也是有的。』王夫人道：『老太太见的多，说得是，也不为奇。』邢夫人道：『我听见这花已经

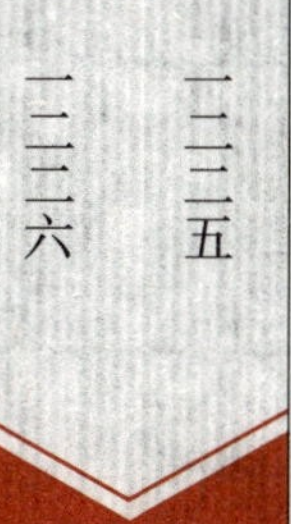

萎了一年，怎么这回不应时候儿开了？必有个原故。』李纨笑道：『老太太与太太说得都是。据我的糊涂想头，必是宝玉有喜事来了，此花先来报信。』探春虽不言语，心内想：『此花必非好兆。大凡顺者昌，逆者亡；草木知运，不时而发，必是妖孽。』只不好说出来。（探春有败落感、灾异感，或曰『忧患意识』。也是一种天人感应、天人合一的观念。）独有黛玉听说是喜事，心里触动，便高兴说道：『当初田家有荆树一棵，三个弟兄因分了家，那荆树便枯了；后来感动了他弟兄们，仍旧归在一处，那荆树也就荣了。可知草木也随人的。如今二哥哥认真念书，舅舅喜欢，那棵树也就发了。』（『认真念书』论与林的一贯思想不符。）贾母王夫人听了喜欢，便说：『林姑娘比方得有理，狠有意思。』

正说着，贾赦、贾政、贾环、贾兰都进来看花。贾赦便说：『据我的主意，把他砍去。必是花妖作怪。』贾政道：『见怪不怪，其怪自败。不用砍他，随他去就是了。』贾母听见，便说：『谁在这里混说？人家有喜事好处，什么怪不怪的！若有好事，你们享去；若是不好，我一个人当去。你们不许混说！』（不准败兴，只准鼓劲。气可鼓，不可泄。）贾政听了，不敢言语，讪讪的同贾赦等走了出来。

那贾母高兴，叫人传话到厨房里，快快预备酒席，大家赏花。叫：『宝玉、环儿、兰儿各人做一首诗志喜。林姑娘的病才好，不要他费心；若高兴，给你们改改。』对着李纨道：『你们都陪我喝酒。』李纨答应了『是』，便笑对探春笑道：『都是你闹的。』探春道：『饶不叫我们做诗，怎么我们闹的？』李纨道：『海棠社不是你起的么？如今那棵海棠也要来入社了。』大家听着，都笑了。

一时，摆上酒菜，一面喝着。彼此都要讨老太太的欢喜，大家说些兴头话。宝玉上来斟了酒，便立成了四句诗，写出来念与贾母听，道：

海棠何事忽摧隤，今日繁花为底开？
应是北堂增寿考，一阳旋复占先梅。

贾环也写了来，念道：

草木逢春当茁芽，海棠未发候偏差。
人间奇事知多少，冬月开花独我家。

贾兰恭楷誊正，呈与贾母。贾母命李纨念道：

烟凝媚色春前萎，霜浥微红雪后开。
莫道此花知识浅，欣荣预佐合欢杯。

贾母听毕，便说：『我不大懂诗，听去倒是兰儿的好，环儿做得不好。（贾环从未被主流派夸奖过一回。）都上来吃饭罢。』

宝玉看见贾母喜欢，更是兴头，因想起：『晴雯死的那年，海棠死的；今日海棠复荣，我们院内这些人，自然都好，但是晴雯不能像花的死而复生了。』（一株海棠，各有想法。海棠自萎复自开，人自喜复自悲，本不相关，偏要联系在一起，赋予海棠以某种意思。）顿觉转喜为悲。忽又想起前日巧姐提凤姐要把五儿补入，或此花为他而开，也未可知。却又转悲为喜，依旧说笑。

贾母还坐了半天，然后扶了珍珠回去了，王夫人等跟着过来。只见平儿笑嘻嘻的迎上来，说：『我们奶奶知道

老太太在这里赏花，自己不得来，叫奴才来伏侍老太太、太太们。还有两匹红送给宝二爷包裹这花，当作贺礼。』袭人过来接了，呈与贾母看。贾母笑道：『偏是凤丫头行出点事儿来，叫人看着又体面，又新鲜，狠有趣儿！』（对凤姐是百夸不烦、百赞不倦。）袭人笑着向平儿道：『回去替宝二爷给二奶奶道谢，要有喜，大家喜。』（要有灾呢？）贾母听了，笑道：『嗳哟，我还忘了呢！凤丫头虽病着，还是他想得到，送得也巧。』一面说着，众人就随着去了。平儿私与袭人道：『奶奶说，这花开得奇怪，叫你铰块红绸子挂挂，便应在喜事上去了。已后也不必只管当作奇事混说。』（对奇事有恐惧心，对大自然有恐惧心。这方面，比现代人可爱些。）袭人点头答应，送了平儿出去不题。

（海棠花开：吉兆乎？凶兆乎？贾母只准说是吉兆。而且下令预备酒席，还下令作诗。诗倒是遵命做出来了，而且做得还可以，起码合辙押韵，但仍然没有吉成，反而日益凶险化了。可见：诗决定不了吉凶。文字的作用其实有限。）

且说那日宝玉本来穿着一裹圆的皮袄在家歇息，因见花开，只管出来看一回、赏一回、叹一回、爱一回的，心中无数悲喜离合，都弄到这株花上去了。忽然听说贾母要来，便去换了一件狐腋箭袖，罩一件玄狐腿外褂，出来迎接贾母。匆匆穿换，未将『通灵宝玉』挂上。及至后来贾母去了，仍旧换衣，袭人见宝玉脖子上没有挂着，便问：『那块玉呢？』宝玉道：『刚才忙乱换衣，摘下来放在炕桌上，我没有带。』袭人回看桌上，并没有玉，便向各处找寻，踪影全无，吓得袭人满身冷汗。（由海棠不时而开连结到丢玉上，这个构思奇巧而又不失自然。本来好模好样地又丢玉是令人厌烦的。）宝玉道：『不用着急，少不得在屋里的。问他们就知道了。』袭人当作麝月等藏起吓他顽，

便向麝月等笑着说道：『小蹄子们！顽呢，到底有个顽法。把这件东西藏在那里了？别真弄丢了，那可就大家活不成了。』麝月等都正色道：『这是那里的话？顽是顽，笑是笑，这个事非同儿戏，你可别混说！你自己昏了心了，想想罢，想想搁在那里了？这会子又混赖人了。』袭人见他这般光景，不像是顽话，便着急道：『皇天菩萨，小祖宗！到底你摆在那里了？』宝玉道：『我记得明明放在炕桌上的，你们到底找啊。』（宝玉常常丢玉。人的这种失落感、迷惑感，这种丢掉了自己的身份和灵魂的自我认同危机，失我无我的危机，其实写得很超前，乃至很『后现代』。）袭人麝月秋纹等也不敢叫人知道，大家偷偷儿的各处搜寻。闹了大半天，毫无影响，甚至翻箱倒笼，实在没处去找，便疑到方才这些人进来，不知谁捡了去了。袭人说道：『进来的，谁不知道这玉是性命似的东西呢？谁敢捡了去呢！你们好歹先别声张，快到各处问去。若有姐妹们捡着吓我们顽呢，你们给他磕头，要了回来；若是小丫头偷了去，问出来，也不回上头，不论做什么送他换了出来，都使得的。这可不是小事，真要丢了这个，比丢了宝二爷的还利害呢。』麝月秋纹刚要往外走，袭人又赶出来嘱咐道：『头里在这里吃饭的倒别先问去。找不成，再惹出些风波来，更不好了。』麝月等依言，分头各处追问。人人不晓，个个惊疑。麝月等回来，俱目瞪口呆，面面相窥，宝玉也吓怔了，袭人急的只是干哭。找是没处找，回又不敢回：怡红院里的人吓得个个像木雕泥塑一般。（『宝玉』丢了，袭人最急。袭人的急把丢玉这一哲学事件拉到了地面生活里。）

玉为何是『性命似的东西』？是宝玉的对应物？作为对应物写，抽抽象象，审美效果就比较好。作为『宝贝』来写，拿来治病，丢了昏心，太具体，流于俗，不好。抽象地讲，它丢了，即宝玉丢了，就好。真当一个宝贝来找，就杀风景。

大家正在发呆，只见各处知道的都来了。探春叫把园门关上，先命个老婆子带着两个丫头，再往各处去寻去；一面又叫告诉众人：『若谁找出来，重重的赏银。』大家头宗要脱干系，二宗听见重赏，不顾命的混找了一遍，甚至于茅厕里都找到。谁知那块玉竟像绣花针儿一般，找了一天，总无影响。李纨急了，说：『这件事不是顽的，我要说句无礼的话了。』众人道：『什么呢？』李纨道：『事情到了这里，也顾不得了。现在园里，除了宝玉都是女人。要求各位姐姐、妹妹、姑娘都要叫跟来的丫头脱了衣服，大家搜一搜。若没有，再叫丫头们去搜那些老婆子并粗使的丫头。』（李纨的思路是普遍清查，人人过关。这是一种原始、野蛮的土办法。小儿科的想法。）大家说道：『这话也说的有理。现在人多手乱，鱼龙混杂，倒是这么一来，你们也洗洗清。』探春独不言语。（探春思路与抵制抄检大观园一节一致。）那些丫头们也都愿意洗净自己。先是平儿起。平儿说道：『打我先搜起。』于是各人自己解怀。李纨一气儿混搜。探春嗔着李纨道：『大嫂子，你也学那起不成材料的样子来了。那个人既偷了去还肯藏在身上？况且这件东西，在家里是宝，到了外头不知道的是废物，偷他做什么？我想来必是有人使促狭。』

众人听说，又见环儿不在这里，昨儿是他满屋里乱跑，都疑到他身上，只是不肯说出来。探春又道：『使促狭的只有环儿。你们叫个人去悄悄的叫了他来，背地里哄着他，叫他拿出来，然后吓着他，叫他不要声张，这就完了。』大家点头称是。李纨便向平儿道：『这件事还是得你去才弄得明白。』平儿答应，就赶着去了。不多时，同了环儿来了。众人假意装出没事的样子，叫人沏了碗茶，搁在里间屋里。众人故意搭赸走开，原叫平儿哄他。平儿便笑着向环儿道：『你二哥哥的玉丢了，你瞧见了没有？』贾环便急得紫涨了脸，瞪着眼，说道：『人家丢了东西，你怎么又叫我来查问疑我，我是犯过案的贼么？』（便又鸡飞狗跳，挑起各种矛盾。）平儿见这样子，倒不敢再问，便又陪笑道：『不是这么说。怕三爷要拿了去吓他们，所以白问问瞧见了没有，好叫他们找。』贾环道：『他的玉在他身上，看见不看见该问他，怎么问我？捧着他的人多着咧！得了什么不来问我，丢了东西就来问我！』说着，起身就走。（贾环的反应合理。）众人不好拦他。这里宝玉倒急了，说道：『都是这劳什子闹事，我也不要他了，你们也不用闹了。环儿一去，必是嚷得满院里都知道了，这可不是闹事了么？』袭人等急得又哭道：『小祖宗，你看这玉丢了没要紧，若是上头知道了，我们这些人就要粉身碎骨了。』说着，便嚎啕大哭起来。（袭人的使命是把宝玉看住拴住，然而，她已经意识到，她不可能成功。）

众人更加伤感，明知此事掩饰不来，只得要商议定了话，回来好回贾母诸人。宝玉道：『你们竟也不用商量，硬说我砸了就完了。』（与第三回宝玉初见黛玉便要砸玉相呼应。）平儿道：『我的爷，好轻巧话儿！上头要问为什么砸的呢？他们也是个死啊！倘或要起砸破的碴儿来，那又怎么样呢？』宝玉道：『不然，便说我前日出门丢了。』众人一想：『这句话倒还混得过去，但只这两天又没上学，又没往别处去。』宝玉道：『怎么没有？大前儿还到南安王府里听戏去了呢。便说那日丢的。』探春道：『那也不妥。既是前儿丢的，为什么当日不来回？』（本来不是混战，人为地搞成混战。）

众人正在胡思乱想要装点撒谎，只听得赵姨娘的声儿，哭着喊着走来，说：『你们丢了东西，自己不找，怎么叫人背地里拷问环儿！我把环儿带了来，索性交给你们这一起洑上水的。该杀该剐，随你们罢。』说着，将环

儿一推，说：『你是个贼，快快的招罢！』气得环儿也哭喊起来。（赵、环是异己力量中的重要人物，有点什么事，她们与主流派的矛盾便要表现出来。）李纨正要劝解，丫头来说：『太太来了。』袭人等此时无地可容。宝玉等赶忙出来迎接。赵姨娘暂且也不敢作声，跟了出来。王夫人见众人都有惊惶之色，才信方才听见的话，便道：『那块玉真丢了么？』众人都不敢作声。王夫人走进屋里坐下，便叫袭人，慌得袭人连忙跪下，含泪要禀。王夫人道：『你起来，快快叫人细细找去，一忙乱倒不好了。』（这是『宝玉丢了』的预演彩排。）袭人哽咽难言。宝玉生恐袭人直告诉出来，便说道：『太太，这事不与袭人相干，是我前日到南安王府那里听戏在路上丢了。』王夫人道：『为什么那日不找？』宝玉道：『我怕他们知道，没有告诉他们。我叫焙茗等在外头各处找过的。』王夫人道：『胡说！如今脱换衣服，不是袭人他们伏侍的么？大凡哥儿出门回来，手巾荷包短了，还要个明白，何况这块玉不见了便不问的么？』（玉总是要丢的，丢了肯定是找不回来的，没到真丢的时候，丢了的玉又是总能送回来的。丢失一复返，再丢失一再复返，直至永远失去。这里有一种命运的威严，天地的不仁，也有一种模模糊糊的暗示。）宝玉无言可答。赵姨娘听见，便得意了，忙接过口道：『外头丢了东西，也赖环儿……』话未说完，被王夫人喝道：『这里说这个，你且说那些没要紧的话！』赵姨娘便不敢言语了。还是李纨探春从实的告诉了王夫人一遍。王夫人也急得泪如雨下，索性要回明贾母，去问邢夫人那边跟来的这些人去。

此宝玉非彼宝玉。此宝玉象征『能指』彼宝玉。此宝玉先失，彼宝玉后失。彼宝玉决定于此宝玉。此宝玉为彼宝玉的『命根子』，魂儿。这里既有传奇性故事，又有文字游戏。此做彼时，彼亦此。失为得处，得为失。写这种情节，还是虚一点、玄一点好。

凤姐病中，也听见宝玉失玉，知道王夫人过来，料躲不住，便扶了丰儿来到园里。正值王夫人起身要走，凤姐姣怯怯的说：『请太太安。』宝玉等过来问了凤姐好。王夫人因说道：『你也听见了么？这可不是奇事吗？刚才眼错不见就丢了，再找不着。你去想想，打老太太那边丫头起，至你们平儿，谁的手不稳，谁的心促狭；我要回了老太太，认真的查出来才好。（偷窃是可查的。自行走失是不可查的。）不然，是断了宝玉的命根子了。』（见了绣春囊也是泪如雨下，一下『雨』，不知何方遭难。）凤姐回道：『咱们家人多手杂，自古说的，「知人知面不知心」，那里保得住谁是好的？但是一吵嚷，已经都知道了，偷玉的人，若叫太太查出来，明知是死无葬身之地，他着了急，反要毁坏了灭口，那时可怎么处呢？据我的糊涂想头，只说宝玉本不爱他，撂丢了，也没有什么要紧，只要大家严密些，别叫老太太老爷知道。这么说了，暗暗的派人去各处察访，哄骗出来，那时玉也可得，罪名也好定。不知太太心里怎么样？』（宝玉的命根子是那块玉，无玉的人的命根子呢？丢玉是天意。找玉是人事，是徒劳，是制造混乱。凤姐的思路则是阴柔一路，外松内紧一路。）王夫人迟了半日，才说道：『你这话虽也有理，但只是老爷跟前怎么瞒的过呢？』便叫环儿过来道：『你二哥哥的玉丢了，白问了你一句，怎么你就乱嚷？若是嚷破了，人家把那个毁坏了，我看你活得活不得！』贾环吓得哭道：『我再不敢嚷了。』赵姨娘听了，那里还敢言语。（为何活不得？不合逻辑。赵、环不敢言语了，并没服气，也不能保证他们真的不再言语。）王夫人便吩咐众人道：『想来自然有没找到的地方儿。好端端的在家里的，还怕他飞到那里去不成？只是不许声张。限袭人三天内给我找出来。要是三天找不着，只怕也瞒不住，大家那就不用过安静日子了。』说着，便叫凤姐儿跟到邢夫人那边，商议踩缉不题。

（宝玉的最终结果只能是『自行走失』，无影无响。失去了宝玉，最有本事的袭人也罢，平儿也罢，直到王夫人，又能怎么样呢？闹下大天来，失去了只能是失去了。此时不失彼时失，园内不失园外失，海棠花开不失海棠花落失。）

这里李纨等纷纷议论，便传唤看园子的一干人来，叫把园门锁上，快传林之孝家的来，悄悄儿的告诉了他，叫他：『吩咐前后门上，三天之内，不论男女下人，从里头可以走动，要出时，一概去不许放出。只说里头丢了东西，待这件东西有了着落，然后放人出来。』（又是老一套的王善保家的路子。）林之孝家的答应了『是』，因说：『前儿奴才家里也丢了一件不要紧的东西，林之孝必要明白，上街去找了一个测字的。那人叫做什么刘铁嘴，测了一个字，说的狠明白，回来依旧一找，便找着了。』袭人听见，便央及林家的道：『好林奶奶！出去快求林大爷替我们问问去。』（病急乱投医。）那林之孝家的答应着出去了。邢岫烟道：『若说那外头测字打卦的，是不中用的。我在南边闻妙玉能扶乩，何不烦他问一问？况且我听见说，这块玉原有仙机，想来问得出来。』众人都诧异道：『咱们常见的，从没有听他说起。』麝月便忙问岫烟道：『想来别人求他是不肯的，好姑娘，我给姑娘磕个头，求姑娘就去。若问出来了，我一辈子总不忘你的恩！』说着，赶忙就要磕下头去，岫烟连忙拦住。黛玉等也都怂恿着岫烟速往栊翠庵去。（黛玉也参加到这个闹轰轰的污浊行列里来了么？）一面林之孝家的进来说道：『姑娘们大喜！林之孝测了字回来，说这玉是丢不了的，将来横竖有人送还来的。』众人听了，也都半信半疑。惟有袭人麝月喜欢的了不得。探春便问：『测的是什么字？』林之孝家的道：『他的话多，奴才也学不上来。记得是拈了个赏人东西的「赏」字。那刘铁嘴也不问，便说：「丢了东西不是？」』李纨道：『这就算好。』林之孝家的道：『他还说：「『赏』

字上头一个『小』字，底下一个『口』字，这件东西，狠可嘴里放得，必是个珠子宝石。』众人听了，夸赞道：『真是神仙！往下怎么说？』林之孝家的道：『他说：「底下『贝』字拆开，不成一个『见』字，可不是『不见』了？」因上头拆了『当』字，叫快到当铺里找去。「『赏』字加一『人』字，可不是『偿』字？只要找着当铺就有人，有了人便赎了来，可不是偿还了吗？」』（天意难测。测字、扶乩之类，是人类于无法是好中创造的一种自慰手段，也是于必然的论断中得不出道理而寄希望于随机，碰运气。）众人道：『既这么着，就先往左近找起。横竖几个当铺都找遍了，少不得就有了。咱们有了东西，再问人就容易了。』李纨道：『只要东西，那怕不问人都使得。林嫂子，烦你就把测字的话快去告诉二奶奶，回了太太，先叫太太放心。就叫二奶奶快派人查去。』林家的答应了便走。

众人略安了一点儿神，呆呆的等岫烟回来。正呆等，只见跟宝玉的焙茗在门外招手儿，叫小丫头子快出来。那小丫头赶忙的出去了。焙茗便说道：『你快进去告诉我们二爷和里头太太、奶奶、姑娘们，天大喜事。』那小丫头子道：『你快说罢，怎么这么累赘？』焙茗笑着拍手道：『我告诉姑娘，姑娘进去回了，咱们两个人都得赏钱呢！你打量什么，宝二爷的那块玉呀，我得了准信来了。』未知如何，下回分解。

花开玉丢，乌烟瘴气。拆字扶乩，更加昏乱。作为小说家，写一种乌烟瘴气的气氛，不足为病。或嫌『档次』低了些？倒难以评断了。

女娲补天剩下的玉既已下凡，那么除了被神化、被珍重、被宠爱、被抬举以外，也难免闹神闹鬼，失失得得，落到泥泞里，发出各种俗臭的气味，引出丑态毕露的闹剧来。

王蒙评点

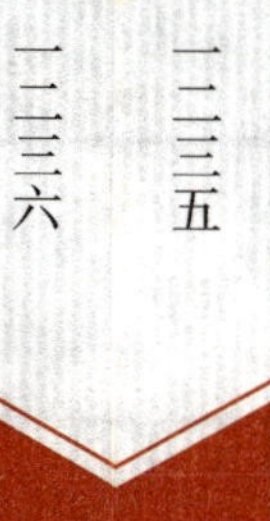

第九十五回　因讹成实元妃薨逝　以假混真宝玉疯颠

话说焙茗在门口和小丫头子说宝玉的玉有了，那小丫头急忙回来告诉宝玉。（此玉非彼玉。你要找的那个玉，不那么容易找到。不是你要找的玉，可多呢。）众人听了，都推着宝玉出去问他。众人在廊下听着。宝玉也觉放心，便走到门口，问道：『你那里得了？快拿来。』焙茗道：『拿是拿不来的，还得托人做保去呢。』宝玉道：『你快说是怎么得的，我好叫人取去。』焙茗道：『我在外头，知道林爷爷去测字，我就跟了去。我听见说在当铺里找，我没等他说完，便跑到几个当铺里去。我比给他个瞧，有一家便说「有」。我说：「给我罢。」那铺子里要票子。我说：「当多少钱？」他说：「三百钱的也有，五百钱的也有。前儿有一个人拿这么一块玉，当了三百钱去；今儿又有人也拿一块玉，当了五百钱去。」』宝玉不等说完，便道：『你快拿三百五百钱去取了来，我们挑着看是不是。』里头袭人便啐道：『二爷不用理他！我小时候儿听见我哥哥常说，有些人卖那些小玉儿，没钱用，便去当。想来是家家当铺里有的。』（有虚惊便也有『虚喜』，虚惊终于变成了真灾实难，虚喜呢？）众人正在听得诧异，被袭人一说，想了一想，倒大家笑起来，说：『快叫二爷进来罢，不用理那糊涂东西了。他说的那些玉，想来不是正经东西。』（丢玉的事往通俗化、市井化、粗鄙化方面发展。）宝玉正笑着，只见岫烟来了。

原来岫烟走到栊翠庵，见了妙玉，不及闲话，便求妙玉扶乩。妙玉冷笑几声，说道：『我与姑娘来往，为的是姑娘不是势利场中的人。今日怎么听了那里的谣言，过来缠我？况且我并不晓得什么叫「扶乩」。』说着，将要不理。岫烟懊悔此来：知他脾气是这么着的，『一时我已说出，不好白回去。』又不好与他质证他会扶乩的话，只得陪着笑将袭人等性命关系的话说了一遍。见妙玉略有活动，便起身拜了几拜。妙玉叹道：『何必为人作嫁？但是我进京以来，素无人知，今日你来破例，恐将来缠绕不休。』岫烟道：『我也一时不忍。知你必是慈悲的。便是将来他人求你，愿不愿在你，谁敢相强？』妙玉笑了一笑，叫道婆焚香，在箱子里找出沙盘乩架，书了符，命岫烟行礼祝告毕，起来同妙玉扶着乩。（妙玉也只好向通俗化方向走一步。宝钗占卜，妙玉扶乩，格虽不高，方法不少。中华文化有它的博大精深，也自有它的杂乱浅陋。）不多时，只见那仙乩疾书道：

噫！来无迹，去无踪，青埂峰下倚古松。欲追寻，山万重，入我门来一笑逢。（又在为宝玉的遁入空门铺垫了。）

书毕，停了乩。岫烟便问：『请是何仙？』妙玉道：『请的是拐仙。』岫烟录了出来，请教妙玉解识。妙玉道：『这个可不能，连我也不懂。你快拿去，他们的聪明人多着哩。』

岫烟只得回来。进入院中，各人都问：『怎么样了？』岫烟不及细说，便将所录乩语递与李纨，众姊妹及宝玉争看，都解的是：『一时要找是找不着的，然而丢是丢不了的，不知几时不找便出来了。但是青埂峰不知在那里？』李纨道：『这是仙机隐语。咱们家里那里跑出青埂峰来？必是谁怕查出，撂在有松树的山子石底下，也未可定。独是「入我门来」这句，到底是入谁的门呢？』（乩语也有通俗化的解释。）黛玉道：『不知请的是谁？』岫烟道：『拐仙。』探春道：『若是仙家的门，便难入了。』

袭人心里着忙，便捕风捉影的混找，没一块石底下不找到，只是没有。回到院中，宝玉也不问有无，只管傻笑。麝月着急道：『小祖宗！你到底是那里丢的？说明了，我们就是受罪，也在明处啊。』（袭人找玉最积极、最可怜、

最粗鄙。俗人可以俗用，俗亦不可少。但不可与之言『命根子』，言生命的来源、归宿、象征与物化。）宝玉笑道：『我说外头丢的，你们又不依。你如今问我，我知道么？』李纨探春道：『今儿从早起闹起，已到三更来的天了。你瞧林妹妹已经掌不住，各自去了。我们也该歇歇儿了，明儿再闹罢。』说着，大家散去。宝玉即便睡下。可怜袭人等哭一回，想一回，一夜无眠，暂且不题。

且说黛玉先自回去，想起『金』『石』的旧话来，反自喜欢，心里说道：『和尚道士的话真个信不得。果真「金」「玉」有缘，宝玉如何能把这玉丢了呢？或者因我之事，拆散他们的「金玉」，也未可知。』（黛玉有黛玉的角度，奇的是她的思考也是通俗化的。）想了半天，更觉安心，把这一天的劳乏，竟不理会，重新倒看起书来。紫鹃倒觉身倦，连催黛玉睡下。黛玉虽躺下，又想到海棠花上，说：『这块玉原是胎里带来的，非比寻常之物，来去自有关系。若是这花主好事呢，不该失了这玉呀。看来此花开的不祥，莫非他有不吉之事？』（面对人间诸事，谁个是解人？都瞎猜。都猜不对。人好可怜！）不觉又伤起心来。又转想到喜事上头，此花又似应开，此玉又似应失，如此一悲一喜，（一悲一喜，便是人情，便是人生。）直想到五更方睡着。

次日，王夫人等早派人到当铺里去查问，凤姐暗中设法找寻。（去当铺寻找宝玉，也是缘木求鱼。）一连闹了几天，总无下落。还喜贾母贾政未知。袭人等每日提心吊胆。宝玉也好几天不上学，只是怔怔的，不言不语，没心没绪的。（即使玉不是命根子，众人一闹，也就成了命根子了，而宝玉，只有怔忡一途。）王夫人只知他因失玉而起，也不大着意。

那日正在纳闷，忽见贾琏进来请安，嘻嘻的笑道：『今日听得军机贾雨村打发人来告诉二老爷，说：「舅太爷升

了内阁大学士，奉旨来京，已定明年正月二十日宣麻，有三百里的文书去了。」（又一个烈火烹油、鲜花着锦的肥皂泡。）想舅太爷昼夜趱行，半个多月就要到了。侄儿特来回太太知道。」王夫人听说，便欢喜非常。正想娘家人少，薛姨妈家又衰败了；兄弟又在外任，照应不着。今日忽听兄弟拜相回京，王家荣耀，将来宝玉都有倚靠。便把失玉的心又略放开些了，天天专望兄弟来京。

忽一天，贾政进来，满脸泪痕，喘吁吁的说道：「你快去禀知老太太，即刻进宫！不用多人的，是你伏侍进去。因娘娘忽得暴病，现在太监在外立等。他说：「太医院已经奏明痰厥，不能医治。」」王夫人听说，便大哭起来。贾政道：「这不是哭的时候，快快去请老太太。说得宽缓些，不要吓坏了老人家。」贾政说着，出来吩咐家人伺候。王夫人收了泪，去请贾母，只说元妃有病，进去请安。贾母念佛道：「怎么又病了？前番吓的我了不得，后来又打听错了。这回情愿再错了也罢。」（「因讹成实」回目甚好，世界上多少事是因讹成实呀。「讹」已是无风不起浪，是量变的开始，「实」是变化的完成。从讹到实，是事物发展变化的一个过程。乃至具有一定的规律性。）王夫人一面回答，一面催鸳鸯等开箱取衣饰穿戴起来。王夫人赶着回到自己房中也穿戴好了，过来伺候。一时出厅，上轿进宫不题。

且说元春自选了凤藻宫后，圣眷隆重，身体发福，未免举动费力。每日起居劳乏，时发痰疾。因前日侍宴回宫，偶沾寒气，勾起旧病。（发福成疾。无福能少疾乎？是脑溢血还是脑血栓？）不料此回甚属利害，竟至痰气壅塞，四肢厥冷。一面奏明，即召太医调治。岂知汤药不进，连用通关之剂，并不见效。内官忧虑，奏请预办后事，所以传旨命贾氏椒房进见。贾母王夫人遵旨进宫，见元妃痰塞口涎，不能言语，见了贾母，只有悲泣之状，却少眼泪。贾母进

前请安，奏些宽慰的话。少时贾政等职名递进，宫嫔传奏，元妃目不能顾，渐渐脸色改变。内官太监即要奏闻，恐派各妃看视，椒房姻戚未便久羁，请在外宫伺候。贾母王夫人怎忍便离，无奈国家制度，只得下来，又不敢啼哭，惟有心内悲感。朝门内官员有信。不多时，只见太监出来，立传钦天监。贾母便知不好，尚未敢动。稍刻，小太监传谕出来，说：「贾娘娘薨逝。」是年甲寅年十二月十八日立春；元妃薨日，是十二月十九日，已交卯年寅月，存年四十三岁。（虎兔相逢大梦归。）贾母含悲起身，只得出宫上轿回家。贾政等亦已得信，一路悲戚。到家中，邢夫人、李纨、凤姐、宝玉等出厅，分东西迎着贾母，请了安，并贾政王夫人请安，大家哭泣不题。

次日早起，凡有品级的，按贵妃丧礼进内请安哭临。贾政又是工部，虽按照仪注办理，未免堂上又要周旋他些，同事又要请教他，所以两头更忙，非比从前太后与周妃的丧事了。但元妃并无所出，惟谥曰贤淑贵妃。此是王家制度，不必多赘。（元春的死写得如此干巴，不及可卿葬礼之什一。这里没有什么「小说」可写，只是人事无常，好花不长开，好景不常在，该死便死了。）只讲贾府中男女，天天进宫，忙的了不得。幸喜凤姐儿近日身子好些，还得出来照应家事，又要预备王子腾进京，接风贺喜。凤姐胞兄王仁，知道叔叔入了内阁，仍带家眷来京。凤姐心里喜欢，便有些心病，有这些娘家的人，也便撂开，所以身子倒觉比前好了些。王夫人看见凤姐照旧办事，又把担子卸了一半；又眼见兄弟来京，诸事放心，倒觉安静些。

独有宝玉原是无职之人，又不念书，代儒学里知他家里有事，也不来管他，贾政正忙，自然没有空儿查他：想来宝玉趁此机会竟可与姊妹们天天畅乐。不料他自失了玉后，终日懒怠走动，说话也糊涂了。并贾母等出门回来，

有人叫他去请安，便去，没人叫他，他也不动。袭人等怀着鬼胎，又不敢去招惹他，恐他生气。每天茶饭，端到面前便吃，不来也不要。袭人看这光景，不像是有气，竟像是有病的。袭人偷着空儿到潇湘馆告诉紫鹃，说是：『二爷这么着，求姑娘给他开导开导。』紫鹃虽即告诉黛玉，只因黛玉想着亲事上头，一定是自己了，如今见了他，反觉不好意思，『若是他来呢，原是小时在一处的，也难不理他；若说我去找他，断断使不得。』所以黛玉不肯过来。（人的最可怜处之一便是事事常往自己的心愿上想。自己哄自己。）袭人又背地里去告诉探春。那知探春心里明明知道海棠开得怪异，『宝玉』失的更奇，接连着元妃姐姐薨逝，谅家道不祥，日日愁闷，那有心肠去劝宝玉？况兄妹们男女有别，只好过来一两次，宝玉又终是懒懒的，所以也不大常来。宝钗也知失玉。因薛姨妈那日应了宝玉的亲事，回去便告诉了宝钗。薛姨妈还说：『虽是你姨妈说了，我还没有应准，说等你哥哥回来再定。你愿意不愿意？』宝钗反正色的对母亲道：（『反正色……道』云云令人反感，觉得太严正得过分，严正得不近人情了。羞答答低头不语也要好得多。）『妈妈这话说错了。女孩儿家的事情是父母作主的。如今我父亲没了，妈妈应该作主的；再不然，问哥哥，怎么问起我来？』所以薛姨妈更爱惜他，说他虽是从小娇养惯的，却也生来的贞静。因此，在他面前，反不提起宝玉了。宝钗自从听此一说，把『宝玉』两字自然更不提起了。如今虽然听见失了玉，心里也甚惊疑，倒不好问，只得听旁人说去，竟像不与自己相干的。（宝钗不急，也好。急也无用。急更有害。遇事稍微凉一点，好。）只有薛姨妈打发丫头过来了好几次问信。因他自己的儿子薛蟠的事焦心，只等哥哥进京，便好为他出脱罪名；又知元妃已薨，虽然贾府忙乱，却得凤姐好了，出来理家；也把贾家的事搁开了。只苦了袭人，虽然在宝玉跟前低声下气的伏侍劝慰，宝玉竟是不懂。袭人只有暗暗的着急而已。

过了几日，元妃停灵寝庙，贾母等送殡去了几天。岂知宝玉一日呆似一日，也不发烧，也不疼痛，只是吃不像吃，睡不像睡，甚至说话都无头绪。那袭人麝月等一发慌了，回过凤姐几次。凤姐不时过来。起先道是找不着玉生气，如今看他失魂落魄的样子，只有日日请医调治。煎药吃了好几剂，只有添病的，没有减病的。及至问他那里不舒服，宝玉也不说出来。

宝玉的痴呆症状写得好。这符合他的脾气，读者通得过，读者也觉得，他该发呆了。联系到丢玉，也就是联系到大荒、无稽、青埂，不忘来处去处，不受尘世五色迷惑。这个情节也为他的婚事种种作好铺垫，打好根基。这个痴呆也是不成功的爱情的极致，一往情深至于痴，一往情深报以呆。巨大的感情冲动，导致了一种痴呆状态，是歇斯底里状态的反面，但也是歇斯底里。

直至元妃事毕，贾母惦记宝玉，亲自到园看视，王夫人也随过来，袭人等叫宝玉接去请安。宝玉虽说是病，每日原起来行动。今日叫他接贾母去，他依然仍是请安，惟是袭人在旁扶着指教。贾母见了，便道：『我的儿！我打谅你怎么病着，故此过来瞧你。今你依旧的模样儿，我的心放了好些。』王夫人也自然是宽心的。但宝玉并不回答，只管嘻嘻的笑。贾母等进屋坐下，问他的话，袭人教一句，他说一句，大不似往常，直是一个傻子似的。贾母愈看愈疑，便说：『我才进来看时，不见有什么病；如今细细一瞧，这病果然不轻，竟是神魂失散的样子！到底因什么起的呢？』（神魂何在？聚集在哪里？何时失散？为何失散？他的神魂已给了黛玉，而得不到黛玉，能不失散么？）王夫人知事难瞒，又瞧瞧袭人怪可怜的样子，只得便依着宝玉先前的话，将那往南安王府里去听戏时丢了这块玉的话悄悄的告诉了一遍，心里也彷徨的狠，生恐贾母着急。并说：『现在着人在四下里找寻。求签问卦，都说在当铺里找，少不得找着的。』贾母听了，急得站起来，眼泪直流，说道：『这件玉，如何是丢得的！你们忒不懂事了！难道老爷也是撂开手的不成？』王夫人知贾母生气，叫袭人等跪下，自己敛容低首回说：『媳妇恐老太太着急，老爷生气，都没敢回。』贾母『咳』道：『这是宝玉的命根子，因丢了所以他是这么失魂丧魄的！还了得！况是这玉满城里都知道，谁检了去，便叫你们找出来么？叫人快快请老爷，我与他说。』那时吓得王夫人袭人等俱哀告道：『老太太这一生气，回来老爷更了不得了。现在宝玉病着，交给我们尽命里找来就是了。』贾母道：『你们怕老爷生气，有我呢！』便叫麝月传人去请。不一时，传进话来，说：『老爷谢客去了。』贾母道：『不用他也使得。你们便说我说的话，暂且也不用责罚下人。我便叫琏儿来，写出赏格，悬在前日经过的地方，便说：「有人检得送来者，情愿送银一万两；如有知人检得，送信找得者，送银五千两。」（悬赏缉拿。）如真有了，不可吝惜银子。这么一找，少不得就找出来了。若是靠着咱们家几个人找，就找一辈子，也不能得！』王夫人也不敢直言。贾母传话，告诉贾琏，叫他速办去了。

贾母便叫人：『将宝玉动用之物，都搬到我那里去。只派袭人秋纹跟过来，余者仍留园内看屋子。』宝玉听了，终不言语，只是傻笑。贾母便携了宝玉起身，袭人等搀扶出园。回到自己房中，叫王夫人坐下，看人收拾里间屋内安置，便对王夫人道：『你知道我的意思么？我为的园里人少，怡红院的花树，忽萎忽开，有些奇怪。头里仗着一块玉能除邪祟，如今此玉丢了，生恐邪气易侵，故我带他过来一块儿住着。这几天也不用叫他出去。大夫来，就在这里瞧。』（说明贾母对海棠事也心有疑惑，但以她的身份，她必须嘴硬，只准说是好兆，不准谈凶谈妖，以免发生混乱不安的情状。）

王夫人听说，便接口道：『老太太想的自然是。如今宝玉同着老太太住了，老太太的福气大，不论什么都压住了。』贾母道：『什么福气！不过我屋里干净些，经卷也多，都可以念念，定定心神。（经卷的「定心神」，似乎是指一种催眠作用。）你问宝玉好不好？』那宝玉见问，只是笑。袭人叫他说好，宝玉也就说好。王夫人见了这般光景，未免落泪，在贾母这里，不敢出声。贾母知王夫人着急，便说道：『你回去罢，这里有我调停他。晚上老爷回来，告诉他不必来见我，不许言语就是了。』王夫人去后，贾母叫鸳鸯找些安神定魄的药，按方吃了，不题。

宝玉的命根子是一块石头——玉。是一个物件么？甚荒唐！命根子怎成了身外之物？人有生老病死，物有损坏残失，何者能永全？我们的命根子在哪里？我们保全得好吗？如果丢失了，到哪里去找？怎样方能找回来？思之怅然，思之怵然。我们自身的生命是最大的神秘，最大的难解之谜。

且说贾政当晚回家，在车内听见道儿上人说道：『人要发财，也容易的狠。』那个人道：『怎么见得？』这个人又道：『今日听见荣府里丢了什么哥儿的玉了，贴着招帖儿，上头写着玉的大小式样颜色，说：有人检了送去，就给一万两银子；送信的还给五千呢！』（这个信息变成了『出口转内销』。）

贾政虽未听得如此真切，心里咤异，急忙赶回，便叫门上的人，问起那事来。门上的人禀道：『奴才头里也不知道；今儿晌午，琏二爷传出老太太的话，叫人去贴帖儿，才知道的。』贾政便叹气道：『家道该衰！偏生养这么一个孽障！（解释虽然不同，家道该衰则已成为共识。谣言可畏。）才养他的时候，满街的谣言，隔了十几年，略好了些。这会子又大张晓谕的找玉，成何道理！』说着，忙走进里头去问王夫人。王夫人便一五一十的告诉。贾政知是老太太的主意，又不敢违拗，只抱怨王夫人几句。（养尊处优，太平无事。一旦有事，乱了阵脚，对策不一致。）又走出来，叫瞒着老太太，背地里揭了这个帖儿下来。岂知早有那些游手好闲的人揭了去了。（老太太急于找玉，有点不择手段。贾政多少有点政治头脑，考虑影响。不但通俗化，而且群体行动、群众运动化了。）

过了些时，竟有人到荣府门上，口称送玉来。家内人们听见，喜欢的了不得，便说：『拿来，我给你回去。』那人便怀内掏出赏格来，指给门上人瞧：『这不是你府上的帖子么？写明送玉来的给银一万两。二太爷，你们这会子瞧我穷，回来我得了银子，就是个财主了。别这么待理不理的！』门上听他话头来得硬，说道：『你到底略给我瞧一瞧，我好给你回去。』那人初到不肯，后来听人说得有理，便掏出那玉，托在掌中一扬，说：『这是不是？』众家人原是在外服役，只知有玉，也不常见；今日才看见这玉的模样儿了，急忙跑到里头抢头报似的。那日贾政贾赦出门，只有贾琏在家。众人回明，贾琏还细问：『真不真？』门上人口称：『亲眼见过，只是不给奴才，要见主子，一手交银，一手交玉。』（焙茗已经虚喜过一次了，还要再虚喜下去。任何事件，时间一长就要普及，就要普遍参与，就要庸俗化，庸俗化的结果便使一个超尘脱俗的美玉故事变得乌烟瘴气。普遍参与，成也普及，毁也普及。）贾琏却也喜欢，忙去禀知王夫人，即便回明贾母，把个袭人乐得合掌念佛。贾母并不改口，一叠连声：『快叫琏儿请那人到书房内坐下，将玉取来一看，即便送银。』贾琏依言，请那人进来，当客待他，用好言道谢：『要借这玉送到里头本人见了，谢银分厘不短。』那人只得将一个红绸子包儿送过去。贾琏打开一看，可不是那一块晶莹美玉吗？贾琏素昔原不

理论，今日倒要看看。看了半日，上面的字也仿佛认得出来，什么『除邪祟』等字。贾琏看了，喜之不胜，便叫家人伺候，忙忙的送与贾母王夫人认去。

这会子惊动了合家的人，都等着争看。（真正能做事的人不多，跟上来起哄的不少。一起哄，悲剧就变了味，变成了悲喜剧。喜而益悲，乱而益悲，急而益悲。最后悲成了闹剧。）凤姐见贾琏进来，便劈手夺去，不敢先看，送到贾母手里，贾琏笑道：『你这么一点儿事，还不叫我献功呢！』贾母打开看时，只见那玉比先前昏暗了好些，一面用手擦摸，鸳鸯拿上眼镜儿来，戴着一瞧，说：『奇怪！这块玉倒是的！怎么把头里的宝色都没了呢？』王夫人看了一会子，也认不出，便叫凤姐过来看。凤姐看了道：『像倒像，只是颜色不大对，不如叫宝兄弟自己一看，就知道了。』袭人在旁，也看着未必是那一块，只是盼得的心盛，也不敢说出不像来。凤姐于是从贾母手中接过来，同着袭人，拿来给宝玉瞧。这时宝玉正睡着才醒。凤姐告诉道：『你的玉有了。』宝玉睡眼蒙眬，接在手里也没瞧，便往地下一撂，道：『你们又来哄我了！』说着，只是冷笑。凤姐连忙拾起来道：『这也奇了，怎么你没瞧，就知道呢？』宝玉也不答言，只管笑。王夫人也进屋里来了，见他这样，便道：『这不用说了。他那玉原是胎里带来的一种古怪东西，自然他有道理。想来这个必是人见了帖儿，照样做的。』（伪劣假冒，不仅『茅台』。）大家此时恍然大悟。

贾琏在外间屋里听见这个话，便说道：『既不是，快拿来给我问问他去。人家这样事，他敢来鬼混！』贾母喝住道：『琏儿，拿了去给他，叫他去罢。那也是穷极了的人，没法儿了，所以见我们家有这样事，他便想着赚给个钱，也是有的。如今白白的花了钱，弄了这个东西，又叫咱们认出来了。依着我，不要难为他，把这玉还他，

说不是我们的，赏给他几两银子。外头的人知道了，才肯有信儿就送来呢。若是难为了这一个人，人家也不敢拿来了。』（老太太心里颇有春秋战国呢。）贾琏答应出去。那人还等着呢，半日不见人来，正在那里心里发虚，只见贾琏气忿走出来了。未知如何，下回分解。

人就是这样常常是被动与盲目地生活在讹实、假真、得失之间。如果说『红』也是一面镜子，我们不妨从中照出这些区分来。

如果说『红』是一梦，梦中又如何区分讹实、假真与得失呢？元春之死本是一大悲剧。如今，这悲剧淹没在全面的混乱与闹剧里了。

这里的丢玉与宝玉痴呆化的设计颇具匠心。一、丢玉是灾难的象征。二、丢玉是呆化的原因，而呆化是宝玉的命运的必然，他的性情与环境已经不共戴天，除了呆化，能是别的化吗？三、丢玉很小说化、世俗化，为小说增添热闹，读者有看热闹感。内行看门道，外行看热闹。与『水浒』『三国』『西游』比，『红』更需热闹，没有世俗，就没有小说的热闹。

第九十六回　瞒消息凤姐设奇谋　泄机关颦儿迷本性

话说贾琏拿了那块假玉忿忿走出，到了书房。那个人看见贾琏的气色不好，心里先发了虚了，连忙站起来迎着。刚要说话，只见贾琏冷笑道：『好大胆！我把你这个混帐东西！这里是什么地方儿，你敢来掉鬼！』回头便问：『小厮们呢？』外头轰雷一般，几个小厮齐声答应。贾琏道：『取绳子去捆起他来！等老爷回来回明了，把他送到衙门里去。』（贾母还是宽大为怀的。贾琏执行起来走了样儿。）众小厮又一齐答应：『预备着呢！』嘴里虽如此，却不动身。

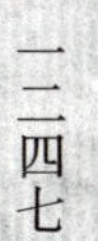
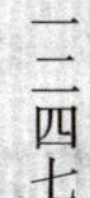

那人先自唬的手足无措，见这般势派，知道难逃公道，只得跪下给贾琏碰头，口口声声只叫：『老太爷，别生气！是我一时穷极无奈，才想出这个没脸的营生来。那玉是我借钱做的，我也不敢要了，只得孝敬府里的哥儿顽罢。』说毕，又连连磕头。贾琏啐道：『你这个不知死活的东西！这府里希罕你的那朽不了的浪东西！』

正闹着，只见赖大进来，陪着笑，向贾琏道：『二爷别生气了。靠他算个什么东西！饶了他，叫他滚出去罢。』贾琏道：『实在可恶。』赖大贾琏作好作歹，众人在外头都说道：『糊涂狗攮的！还不给爷和赖大爷磕头呢！快快的滚罢，还等窝心脚呢！』那人赶忙磕了两个头，抱头鼠窜而去。从此，街上闹动了：『贾宝玉弄出「假宝玉」来。』（又是谐音游戏。）

且说贾政那日拜客回来，众人因为灯节底下，恐怕贾政生气，已过去的事了，便也都不肯回。只因元妃的事，忙碌了好些时，近日宝玉又病着，虽有旧例家宴，大家无兴，也无有可记之事。到了正月十七日，王夫人正盼王子腾来京，只见凤姐进来回说：『今日二爷在外听得有人传说：我们家大老爷赶着进京，离城只二百多里地，在路上没了。太太听见了没有？』（肥皂泡逐一破灭，家败如山倒！）王夫人吃惊道：『我没有听见，老爷昨晚也没有说起。到底在那里听见的？』凤姐道：『说是在枢密张老爷家听见的。』王夫人怔了半天，那眼泪早流下来了，因拭泪说道：『回来再叫琏儿索性打听明白了来告诉我。』凤姐答应去了。王夫人不免暗里落泪，悲女哭弟，又为宝玉耽忧，如此连三接二，都是不随意的事，那里搁得住？便有些心口疼痛起来。又加贾琏打听明白了，来说道：『舅太爷是赶路劳乏，偶然感冒风寒。到了十里屯地方，延医调治，无奈这个地方没有名医，误用了药，一剂就死了。

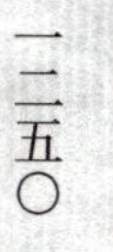

但不知家眷可到了那里没有。』王夫人听了，一阵心酸，便心口疼得坐不住，叫彩云等扶了上炕，还扎挣着叫贾琏去回了贾政。『即速收拾行装，迎到那里，帮着料理完毕，即刻回来告诉我们，好叫你媳妇儿放心。』贾琏不敢违拗，只得辞了贾政起身。（『红』写到这里，头绪纷繁：水月庵『翻』了，元妃死了，玉丢了，违背当事人意愿的婚姻大事正在筹办，又加上王子腾的事。难得一一写来，虽无神来精彩之笔，大致还顺得过去，混得过去。已是极难。如是高氏续作，则已是奇迹。）

贾政早已知道，心里很不受用；又知宝玉失玉已后，神志惛愦，医药无效，又值王夫人心疼。那年正值京察，工部将贾政保列一等，二月，吏部带领引见。皇上念贾政勤俭谨慎，即放了江西粮道。即日谢恩，已奏明起程日期。虽有众亲朋贺喜，贾政也无心应酬，只念家中人口不宁，又不敢耽延在家。

正在无计可施，只听见贾母那边叫：『请老爷。』贾政即忙进去。看见王夫人带着病也在那里，便向贾母请了安。贾母叫他坐下，便说：『你不日就要赴任，我有多少话与你说，不知你听不听？』说着，掉下泪来。贾政忙站起来，说道：『老太太有话，只管吩咐，儿子怎敢不遵命呢？』贾母哽咽着说道：『我今年八十一岁的人了，你又要做外任去，偏有你大哥在家，你又不能告亲老。你这一去了，我所疼的只有宝玉，偏偏的又病得糊涂，还不知道怎么样呢！我昨日叫赖升媳妇出去，叫人给宝玉算算命，这先生算得好灵，说：「要娶了金命的人帮扶他，必要冲冲喜才好；不然，只怕保不住。」我知道你不信那些话，所以教你来商量。你的媳妇也在这里，你们两个也商量商量：还是要宝玉好呢？还是随他去呢？』（贾母此语带有道德讹诈的气味。）贾政陪笑说道：『老太太当初疼儿子这么疼的，难道做儿子的就不疼自己的儿子不成么？只为宝玉不上进，所以时常恨他，也不过是「恨铁不成

钢」的意思。老太太既要给他成家，这也是该当的，岂有逆着老太太不疼他的理？如今宝玉病着，儿子也是不放心。因老太太不叫他见我，所以儿子也不敢言语。我到底瞧瞧宝玉是个什么病？』王夫人见贾政说着也有些眼圈儿红，知道心里是疼的，便叫袭人扶了宝玉来。宝玉见了他父亲，袭人叫他请安，他便请了个安。贾政见他脸面狠瘦，目光无神，大有疯傻之状，便叫人扶了进去，便想到：『自己也是望六的人了，（元春死于四十三岁，贾政才『望六』，他是十六岁得的长女么？）如今又放外任，不知道几年回来。倘或这孩子果然不好，一则年老无嗣，虽说有孙子，到底隔了一层；二则老太太最疼的是宝玉，若有差错，可不是我的罪名更重了？』瞧瞧王夫人一包眼泪，又想到他身上，复站起来说：『老太太这么大年纪，想法儿疼孙子，做儿子的还敢违拗？老太太主意该怎么便怎么就是了。但只姨太太那边，不知说明白了没有？』王夫人便道：『姨太太是早应了的；只为蟠儿的事没有结案，所以这些时总没提起。』贾政又道：『这就是第一层的难处。他哥哥在监里，妹子怎么出嫁？况且贵妃的事虽不禁婚嫁，宝玉应照已出嫁的姐姐，有九个月的功服，此时也难娶亲。再者，我的起身日期已经奏明，不敢耽搁，这几天怎么办呢？』（这些描写，有情有义，符合正统孝道，十分动人。世上有大逆不道之情，有大顺合道之情，都可以十分动人。）

贾母想了一想：『说的果然不错。若是等这几件事过去，他父亲又走了，倘或这病一天重似一天，怎么好？只可越些礼办了才好。』想定主意，便说道：『你若给他办呢，我自然有个道理，包管都碍不着：姨太太那边，我和你媳妇亲自过去求他。蟠儿那里，我央蝌儿去告诉他，说是要救宝玉的命，诸事将就，自然应的。若说服里娶亲，当真使不得；况且宝玉病着，也不可教他成亲，不过是冲冲喜。我们两家愿意，孩子们又有「金玉」的道理，

婚是不用合的了，即挑了好日子，按着咱们家分儿过了礼。赶着挑个娶亲日子，一概鼓乐不用，倒按宫里的样子，用十二对提灯，一乘八人轿子抬了来，照南边规矩拜了堂，一样坐床撒帐，可不是算娶了亲了么？（这也是你有政策，我有对策，你的规矩多，我的变通更多。）宝丫头心地明白，是不用虑的。（实际也没有考虑宝丫头的感受与愿望。）内中又有袭人，也还是个妥妥当当的孩子，再有个明白人常劝他，更好。他又和宝丫头合的来。再者，姨太太曾说：「宝丫头的金锁也有个和尚说过，只等有玉的便是婚姻。」焉知宝丫头过来，不因金锁倒招出他那块玉来，也定不得。从此一天好似一天，岂不是大家的造化？（越想越美，越美越想。喜欢一件事，便推想这一事可以带出一千件好事，反对一事，便推想这一事可以带出一千件坏事，这也是怎么说怎么有理。）这会子只要立刻收拾屋子，铺排起来，这屋子是要你派的。一概亲友不请，也不排筵席，待宝玉好了，过了功服，然后再摆席请人。这么着，都赶的上；你也看见了他们小两口儿的事，也好放心的去。」贾政听了，原不愿意，只是贾母做主，不敢违命，勉强陪笑说道：「老太太想得极是，也狠妥当。只是要吩咐家下众人，不许吵嚷得里外皆知，这要耽不是的。姨太太那边，只怕不肯；若是果真应了，也只好按着老太太的主意办去。」贾母道：「姨太太那里有我呢，你去罢。」贾政答应出来，心中好不自在。因赴任事多，部里领凭，亲友们荐人，种种应酬不绝，竟把宝玉的事听凭贾母交与王夫人凤姐儿了。惟将荣禧堂后身王夫人内屋旁边一大跨所二十余间房屋指与宝玉，余者一概不管。贾母定了主意，叫人告诉他去，贾政只说『狠好』。此是后话。

且说宝玉见过贾政，袭人扶回里间炕上。因贾政在外，无人敢与宝玉说话，宝玉便昏昏沉沉的睡去。贾母与

王蒙评点

贾政所说的话，宝玉一句也没有听见。袭人等却静静儿的听得明白，头里虽也听得些风声，到底影响，只不见宝钗过来，却也有些信真。今日听了这些话，心里方才水落归漕，倒也喜欢。心里想道：『果然上头的眼力不错！（上头眼力，当然错不了。）这才配得是。我也造化！若他来了，我可以卸了好些担子。但是这一位的心里只有一个林姑娘，幸亏他没有听见，若知道了，又不知要闹到什么分儿了。』袭人想到这里，转喜为悲，心想：『这件事怎么好？老太太、太太那里知道他们心里的事？一时高兴，说给他知道，原想要他病好。若是他仍似前的心事，初见林姑娘，便要摔玉砸玉；况且那年夏天在园里，把我当作林姑娘，说了好些私心话；后来因为紫鹃说了句顽话儿，便哭得死去活来。（回忆温习一遍，如电影之『闪回』。）若是如今和他说要娶宝姑娘，竟把林姑娘撂开，除非是他人事不知还可，若稍明白些，只怕不但不能冲喜，竟是催命了。（不是冲喜，而是催命，事与愿违，谁能预见，谁能回天？）我再不把话说明，那不是一害三个人了么？』袭人想定主意，待等贾政出去，叫秋纹照看着宝玉，便从里间出来，走到王夫人身旁，悄悄的请了王夫人到贾母后身屋里去说话。贾母只道是宝玉有话，也不理会，还在那里打算怎么过礼，怎么娶亲。

那袭人同了王夫人到了后间，便跪下哭了。王夫人不知何意，把手拉着他说：『好端端的，这是怎么说？有什么委屈，起来说。』袭人道：『这话奴才是不该说的，这会子因为没有法儿了。』（汇报军机大事、绝密情报，自有不同寻常的方式和腔调。）王夫人道：『你慢慢的说。』袭人道：『宝玉的亲事，老太太、太太已定了宝姑娘了，自然是极好的一件事。只是奴才想着，太太看去，宝玉和宝姑娘好，还是和林姑娘好呢？』王夫人道：『他两个因从小儿在一处，所以宝玉和林姑娘又好些。』袭人道：『不是「好些」。』便将宝玉素与黛玉这些光景一一的说了，

还说：『这些事都是太太亲眼见的，独是夏天的话，我从没敢和别人说。』王夫人拉着袭人道：『我看外面儿已瞧出几分来了，你今儿一说，更加是了。但是刚才老爷说的话，想必都听见了，你看他的神情儿怎么样？』袭人道：『如今宝玉若有人和他说话他就笑，没人和他说话他就睡，所以头里的话却倒都没听见。』王夫人道：『倒是这件事叫人怎么样呢？』袭人道：『奴才说是说了，还得太太告诉老太太，想个万全的主意才好。』王夫人便道：『既这么着，你去干你的。这时候满屋子的人，暂且不用提起。等我瞅空儿回明老太太，再作道理。』说着，仍到贾母跟前。

贾母正在那里和凤姐儿商议，见王夫人进来，便问道：『袭人丫头说什么，这么鬼鬼祟祟的？』王夫人趁问，便将宝玉的心事细细回明贾母。贾母听了，半日没言语。王夫人和凤姐也都不再说了。只见贾母叹道：『别的事都好说。林丫头倒没有什么。若宝玉真是这样，这可叫人作了难了！』只见凤姐想了一想，因说道：『难倒不难。只是我想了个主意，不知姑妈肯不肯。』王夫人道：『你有主意，只管说给老太太听，大家娘儿们商量着办罢了。』凤姐道：『依我想，这件事，只有一个「掉包儿」的法子。』贾母道：『怎么「掉包儿」？』凤姐道：『如今不管宝兄弟明白不明白，大家吵嚷起来，说是老爷做主，将林姑娘配了他了，瞧他的神情儿怎么样。要是他全不管，这个包儿也就不用掉了；若是他有些喜欢的意思，这事却要大费周折呢！』（批评高氏续作的人都诟病掉包的情节，但你很难设想出更好、更合理的情节来写这些人物的下场，按照某些学者大多依据脂批推断的说法，如何使小说结束呢？会不会太平直了呢？）王夫人道：『就算他喜欢，你怎么样办法呢？』凤姐走到王夫人耳边，如此这般的说了一遍。王夫人点了几点头

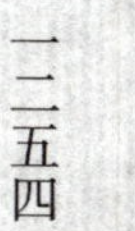

儿，笑了一笑，说道：『也罢了。』贾母便问道：『你娘儿两个捣鬼，到底告诉我是怎么着呀？』凤姐恐贾母不懂，露泄机关，便也向耳边轻轻的告诉了一遍。贾母果真一时不懂。凤姐笑着又说了几句。贾母笑道：『这么着也好，可就只忒苦了宝丫头了。倘或吵嚷出来，林丫头又怎么样呢？』凤姐道：『这个话，原只说给宝玉听，外头一概不许提起，有谁知道呢？』（也是瞒和骗的法子。任意践踏、牺牲别人的幸福和意愿，只求符合自己的安排。）

凤姐掉包奇谋，开古今中外婚姻爱情史的特例。我国颇有奇谋掉包传统，『狸猫换太子』『赵氏孤儿』『王佐断臂说陆文龙』，都与掉包奇谋有关。初看十分离奇，继想又合情合理，只有这一计谋才能把宝玉蒙在鼓里，才能把宝玉不能接受的婚事办成，也才终于要了黛玉的命。阴险、残酷、专横而且富阴谋家的气味。

正说间，丫头传进话来，说：『琏二爷回来了。』王夫人恐贾母问及，使个眼色与凤姐。凤姐便出来迎着贾琏，努了个嘴儿，同到王夫人屋里等着去了。一会儿，王夫人进来，已见凤姐哭的两眼通红。贾琏请了安，将到十里屯料理王子腾的丧事的话说了一遍，便说：『有恩旨赏了内阁的职衔，谥了文勤公，命本宗扶柩回籍，着沿途地方官员照料。（皇恩浩荡，人命无常。）昨日起身，连家眷回南去了。舅太太叫我回来请安问好，说：「如今想不到不能进京，有多少话不能说。」听见我大舅子要进京，若是路上遇见了，便叫他来到咱们这里细细的说。』王夫人听毕，其悲痛自不必言。凤姐劝慰了一番，『请太太略歇一歇，晚上来，再商量宝玉的事罢。』说毕，同了贾琏回到自己房中，告诉了贾琏，叫他派人收拾新房不题。

一日，黛玉早饭后，带着紫鹃到贾母这边来，一则请安，二则也为自己散散闷。出了潇湘馆，走了几步，忽

然想起忘了手绢子来，因叫紫鹃回去取来，自己却慢慢的走着等他。刚走到沁芳桥那边山石背后当日同宝玉葬花之处，忽听一个人呜呜咽咽在那里哭。黛玉煞住脚听时，又听不出是谁的声音，也听不出哭着叨叨的是些什么话，心里甚是疑惑；便慢慢的走去。及到了跟前，却见一个浓眉大眼的丫头在那里哭呢。黛玉未见他时，还只疑府里这些大丫头有什么说不出的心事，所以来这里发泄发泄；及至见了这个丫头，却又好笑，因想到：『这种蠢货，有什么情种！自然是那屋里作粗活的丫头，受了大女孩子的气了。』细瞧了一瞧，却不认得。那丫头见黛玉来了，便也不敢再哭，站起来拭眼泪。黛玉问道：『你好好的为什么在这里伤心？』那丫头听了这话，又流泪道：『林姑娘，你评评这个理：他们说话，我又不知道，我就说错了一句话，我姐姐也不犯就打我呀！』黛玉听了，不懂他说的是什么，因笑问道：『你姐姐是那一个？』那丫头道：『就是珍珠姐姐。』黛玉听了，才知他是贾母屋里的。因又问：『你叫什么？』那丫头道：『我叫傻大姐儿。』（久违了，傻大姐。）黛玉笑了一笑，又问：『你姐姐为什么打你？你说错了什么话了？』那丫头道：『为什么呢！就是为我们宝二爷娶宝姑娘的事情。』（又是傻大姐。）（傻大姐一出场就是一场风波。戏不够，傻丫头凑。）黛玉听了这句话，如同一个疾雷，心头乱跳，略定了定神，便叫这丫头：『你跟了我这里来。』那丫头跟着黛玉到那畸角儿上葬桃花的去处，那里背静，黛玉因问道：『宝二爷娶宝姑娘，他为什么打你呢？』傻大姐道：『我们老太太和太太、二奶奶商量了，因为我们老爷要起身，说：就赶着往姨太太商量，把宝姑娘娶过来罢。头一宗，给宝二爷冲什么喜；第二宗……』说到这里，又瞅着黛玉笑了一笑，才说道：『赶着办了，还要给林姑娘说婆婆家呢。』（说得这么头头是道，又不傻了嘛。干脆傻成了白痴，也许反而太平一些。）

黛玉已经听呆了。这丫头只管说道：『我又不知道他们怎么商量的，不叫人吵嚷，怕宝姑娘听见害臊。我白和宝二爷屋里的袭人姐姐说了一句：「咱们明儿更热闹了，又是宝姑娘，又是宝二奶奶，这可怎么叫呢？」林姑娘，你说我这话害着珍珠姐姐什么了吗？他走过来就打了我一个嘴巴，说我混说，不遵上头的话，要撵出我去。我知道上头为什么不叫言语呢？你们又没告诉我，就打我！』说着，又哭起来。（傻大姐如此，林黛玉何堪！）

那黛玉此时心里，竟是油儿酱儿糖儿醋儿倒在一处的一般，甜、苦、酸、咸，竟说不上什么味儿来了。停了一会儿，颤巍巍的说道：『你别混说了。你再混说，叫人听见，又要打你了。你去罢。』说着，自己转身要回潇湘馆去。那身子竟有千百斤重的，两只脚却像踩着绵花一般，早已软了。只得一步一步慢慢的走将来。走了半天，还没到沁芳桥畔。原来脚下软了，走的慢，且又迷迷痴痴，信着脚从那边绕过来，更添了两箭地的路。这时刚到沁芳桥畔，却又不知不觉的顺着堤往回里走起来。（又痴呆了一个。）紫鹃取了绢子来，却不见黛玉。正在那里看时，只见黛玉颜色雪白，身子恍恍荡荡的，眼睛也直直的，在那里东转西转。（这些描写都到位。）又见一个丫头往前头走了，离的远，也看不出是那一个来。心中惊疑不定，只得赶过来，轻轻的问道：『姑娘，怎么又回去？是要往那里去？』黛玉也只模糊听见，随口应道：『我问问宝玉去。』紫鹃听了，摸不着头脑，只得搀着他到贾母这边来。黛玉走到贾母门口，心里微觉明晰，回头看见紫鹃搀着自己，便站住了，问道：『你作什么来的？』紫鹃陪笑道：『我找了绢子来了。头里见姑娘在桥那边呢，我赶着过去问姑娘，姑娘没理会。』黛玉笑道：『我打量你来瞧宝二爷来了呢，不然，怎么往这里走呢？』紫鹃见他心里迷惑，便知黛玉必是听见那丫头什么话了，惟有点头微笑而已。

只是心里怕他见了宝玉，那一个已经是疯疯傻傻，这一个又这样恍恍惚惚，一时说出些不大体统的话来，那时如何是好？心里虽如此想，却也不敢违拗，只得搀他进去。（一个是疯疯傻傻，一个是恍恍惚惚，爱情呀，你是何等沉重！）

那黛玉却又奇怪了，这时不似先前那样软了，也不用紫鹃打帘子，自己掀起帘子进来。（进入一种梦游状态。）却是寂然无声，因贾母在屋里歇中觉，丫头们也有脱滑顽去，也有打盹的，也有在那里伺候老太太的。倒是袭人听见帘子响，从屋里出来一看，见是黛玉，便让道：『姑娘，屋里坐罢。』黛玉笑着道：『宝二爷在家么？』袭人不知底里，刚要答言，只见紫鹃在黛玉身后和他努嘴儿，指着黛玉，又摇摇手儿。袭人不解何意，也不敢言语。黛玉却也不理会，自己走进房来。看见宝玉在那里坐着，也不起来让坐，只瞅着嘻嘻的傻笑。黛玉自己坐下，却也瞅着宝玉笑。两个人也不问好，也不说话，也无推让，只管对着脸傻笑起来。（两颗流血的、被扭曲被践踏的心相对，便是这般光景。）袭人看见这番光景，心里大不得主意，只是没法儿。忽然听着黛玉说道：『宝玉，你为什么病了？』宝玉笑道：『我为林姑娘病了！』（对宝黛悲剧，还能怎么写？这就相当于一次热烈的拥抱了。）袭人紫鹃两个吓得面目改色，连忙用言语来岔。两个却又不答言，仍旧傻笑起来。袭人见了这样，知道黛玉此时心中迷惑，不减于宝玉。因悄和紫鹃说道：『姑娘才好了，我叫秋纹妹妹同着你搀回姑娘，歇歇去罢。』因回头向秋纹道：『你和紫鹃姐姐送林姑娘去罢。你可别混说话。』秋纹笑着，也不言语，便来同着紫鹃搀起黛玉。那黛玉也就站起来，瞅着宝玉只管笑，只管点头儿。紫鹃又催道：『姑娘，回家去歇歇罢。』黛玉道：『可不是，我这就是回去的时候儿了。』（已经是不能成眷属的绝唱了。）说着，便回身笑着出来了，（笑着，更令人毛骨悚然。）仍旧不用丫头们搀扶，自己却走得比

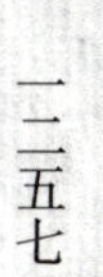

往常飞快。紫鹃秋纹后面赶忙跟着走。

这一段写得成功。不论雪芹原意如何（未必可考），反正写出了林黛玉的悲痛绝望，直至痴呆。权衡续作的成败得失，无法按或有的原意（意图），而只能按写出来、阅读后的艺术效果来判断。

黛玉出了贾母院门，只管一直走去，紫鹃连忙搀住，叫道：『姑娘，往这么来。』黛玉仍是笑着，随了往潇湘馆来。离门口不远，紫鹃道：『阿弥陀佛！可到了家了。』只这一句话没说完，只见黛玉身子往前一栽，『哇』的一声，一口血直吐出来。（写情，已达极致，已达顶峰。）未知性命如何，且听下回分解。

爱情上的失望是这样深重的打击！情重，则关生死，关魂魄，轻则令人痴呆，重则令人丧命。这也是生命诚可贵，爱情价更高！

我为林姑娘病了，宝玉痴呆丢玉之后，终于发出了最后的吼声：我病了！我们病了！我们都有病！救救我们自己吧！

黛玉，宝钗，难分轩轾。黛玉死得惨，宝钗婚也结得惨。玉带林中挂，金簪雪里埋。没有胜利者。

第九十七回 林黛玉焚稿断痴情 薛宝钗出闺成大礼

话说黛玉到潇湘馆门口，紫鹃说了一句话，更动了心，一时吐出血来，几乎晕倒，亏了还同着秋纹，两个人搀扶着黛玉到屋里来。那时秋纹去后，紫鹃雪雁守着，见他渐渐苏醒过来，问紫鹃道：『你们守着哭什么？』紫鹃见他说话明白，倒放了心了，因说：『姑娘刚才打老太太那边回来，身上觉着不大好，唬的我们没了主意，所

以哭了。』黛玉笑道：『我那里就能彀死呢！』（真到了死的时候，反说自己『那里就能彀死』了。）这一句话没完，又喘成一处。

原来黛玉因今日听得宝玉宝钗的事情，这本是他数年的心病，一时急怒，所以迷惑了本性。及至回来吐了这一口血，心中却渐渐的明白过来，把头里的事一字也不记得了。（作为精神症状，写得相当精确合理。高夫子也精医道。）这会子见紫鹃哭，方模糊想起傻大姐的话来。此时反不伤心，惟求速死，以完此债。这里紫鹃雪雁只得守着，想要告诉人去，怕又像上次招得凤姐儿说他们失惊打怪的。那知秋纹回去神情慌张，正值贾母睡中觉起来，看见这般光景，便问：『怎么了？』秋纹吓的连忙把刚才的事回了一遍。贾母大惊，说：『这还了得！』（始而大惊。）连忙着人叫了王夫人凤姐过来，告诉了他婆媳两个。凤姐道：『我都嘱咐到了，这是什么人去走了风？这不更是一件难事了吗！』贾母道：『且别管那些，先瞧瞧去是怎么样了。』说着，便起身带着王夫人凤姐等过来看视。见黛玉颜色如雪，并无一点血色，神气昏沉，气息微细，半日又咳嗽了一阵，丫头递了痰盂，吐出都是痰中带血的。大家都慌了。只见黛玉微微睁眼，看见贾母在他旁边，便喘吁吁的说道：『老太太！你白疼了我了！』贾母一闻此言，十分难受，便道：『好孩子，你养着罢，不怕的。』黛玉微微一笑，把眼又闭上了。外面丫头进来回凤姐道：『大夫来了。』于是大家略避。王大夫同着贾琏进来，诊了脉，说道：『尚不妨事。这是郁气伤肝，肝不藏血，所以神气不定。如今要用敛阴止血的药，方可望好。』王大夫说完，同着贾琏出去开方取药去了。

贾母看黛玉神气不好，便出来告诉凤姐等道：『我看这孩子的病，不是我咒他，只怕难好。你们也该替他预备

预备，冲一冲，或者好了，岂不是大家省心？就是怎么样，也不至临时忙乱。咱们家里这两天正有事呢。』（贾母自然老到，还有点处变不惊，水来土掩。）凤姐儿答应了。贾母又问了紫鹃一回，到底不知是那个说的。贾母心里只是纳闷，因说：『孩子们从小儿在一处儿顽，好些是有的。如今大了，懂的人事，就该要分别些，才是做女孩儿的本分，我才心里疼他。若是他心里有别的想头，成了什么人了呢！我可是白疼了他了。（贾母当然无法理解与同情黛玉。）你们说了，我倒有些不放心。』因回到房中，又叫袭人来问。袭人仍将前日回王夫人的话并方才黛玉的光景述了一遍。贾母道：『我方才看他却还不至糊涂，这个理我就不明白了。咱们这种人家，别的事自然没有的，这心病也是断断有不得的。林丫头若不是这个病呢，我凭着花多少钱都使得；若是这个病，不但治不好，我也没心肠了。』（为防心病，必诛其心。诛心，是封建道德的起码要求，前提，也是厉害所在。）凤姐道：『林妹妹的事，老太太倒不必张心，横竖有他二哥哥天天同着大夫瞧看；倒是姑妈那边的事要紧。今日早起，听见说，房子不差什么就妥当了。竟是老太太、太太到姑妈那边，我也跟了去商量商量。就只一件：姑妈家里有宝妹妹在那里，难以说话，不如索性请姑妈晚上过来，咱们一夜都说结了，就好办了。』贾母王夫人都道：『你说的是。今日晚了，明日饭后，咱们娘儿们就过去。』说着，贾母用了晚饭，凤姐王夫人各自归房不提。

至此，经袭人的第一手材料汇报，贾母、王夫人、凤姐都知道宝黛在恋爱。愈知道你恋爱愈不让你爱成。这也是一种逆反心理，逆当事人的心愿而行。这还显现权势的骄傲，你的心愿不重要，有权势者的心愿才算数。以她们的想法来看，她们是为宝玉好，对宝玉负责。择偶要择宝钗这样的，不是至今许多人这样看么？用优选法、博弈论，用电脑综合计算，永远解决不了爱情的问题。在电脑

愈益精密、发达，在许多功能上赛过人脑的今天，幸亏还有爱情，还有性爱，保持了人与电脑的区别。）

且说次日凤姐吃了早饭过来，便要试试宝玉，走进里间说道：『宝兄弟大喜！老爷已择了吉日，要给你娶亲了。你喜欢不喜欢？』宝玉听了，只管瞅着凤姐笑，微微的点点头儿。凤姐笑道：『给你娶林妹妹过来，好不好？』（凤姐所言，带有猫耍耗子的色彩。凤姐的笑伤天害理。）宝玉却大笑起来。凤姐看着，也断不透他是明白，是糊涂，因又问道：『老爷说：你好了才给你娶林妹妹呢；若还是这么傻，便不给你娶了。』宝玉忽然正色道：『我不傻，你才傻呢！』说着，便站起来说：『我去瞧瞧林妹妹，叫他放心。』凤姐忙扶住了，说：『林妹妹早知道了。他如今要做新媳妇了，自然害羞，不肯见你的。』宝玉道：『娶过来，他到底是见我不见？』凤姐又好笑，又着忙，心里想：『袭人的话不差。提了林妹妹，虽说仍旧说些疯话，却觉得明白些。若真明白了，将来不是林姑娘，打破了这个灯虎儿，那饥荒才难打呢！』便忍笑说道：『你好好儿的便见你，若是疯疯癫癫的，他就不见你了。』宝玉说道：『我有一个心，前儿已交给林妹妹了。他要过来，横竖给我带来，还放在我肚子里头。』（心即是玉，玉即是心。心失玉失，终难再得。）凤姐听着竟是疯话，便出来看着贾母笑。贾母听了又是笑，又是疼，便说道：『我早听见了。如今且不用理他，叫袭人好好的安慰他，咱们走罢。』（贾母的笑和疼里充满残酷和专制。）说着，王夫人也来。大家到了薛姨妈那里，只说：『惦记着这边的事，来瞧瞧。』薛姨妈感激不尽，说些薛蟠的话。喝了茶，薛姨妈才要叫人告诉，凤姐连忙拦住，说：『姑妈不必告诉宝妹妹。』（薛姨妈也参加到这个扼杀爱情，扼杀生命的罪恶里。）又向薛姨妈陪笑说道：『老太太此来，一则为瞧姑妈，二则也有句要紧的话，特请姑妈到那边商议。』薛姨妈听了，点点头儿说：『是了。』于是大家又说些闲话，便回来了。

制造痛苦的时候不会有任何抵抗或者异议。人人有权，乃至有义务给别人制造痛苦。平平淡淡、按部就班、高高兴兴地制造旁人的痛苦。

当晚，薛姨妈果然过来，见过了贾母，到王夫人屋里来，不免说起王子腾来，大家落了一回泪。薛姨妈便问道：『刚才我到老太太那里，宝哥儿出来请安，还好好儿的，不过略瘦些，怎么你们说得狠利害？』凤姐便道：『其实也不怎么样，只是老太太悬心。目今老爷又要起身外任去，不知几年才来。老太太的意思：头一件叫老爷看着宝兄弟成了家，也放心；二则也给宝兄弟冲冲喜，借大妹妹的金锁压压邪气，只怕就好了。』（这两条理由现在看来荒谬绝伦，当时看也太『单边主义』。）薛姨妈心里也愿意，只虑着宝钗委屈，说道：『也使得，只是大家还要从长计较计较才好。』王夫人便按着凤姐的话和薛姨妈说，只说：『姨太太这会子家里没人，不如把妆奁一概蠲免，明日就打发蝌儿去告诉蟠儿，一面这里过门，一面给他变法儿撕掳官事。』并不提宝玉的心事。又说：『姨太太既作了亲，娶过来，早早好一天，大家早放一天心。』正说着，只见贾母差鸳鸯过来候信。（贾母强加于人。强加于人就是她们的生活方式。）薛姨妈虽恐宝钗委屈，然也没法儿，又见这般光景，只得满口应承。鸳鸯回去回了贾母，贾母也甚喜欢，又叫鸳鸯过来求薛姨妈和宝钗说明原故，不叫他受委屈。薛姨妈也答应了。（其实对薛家是颇不尊重的。不能说薛宝钗在三角关系中取得了——哪怕是表面的胜利。）便议定凤姐夫妇作媒人。大家散了，王夫人姊妹不免又叙了半夜话儿。

次日，薛姨妈回家，将这边的话细细的告诉了宝钗，还说：『我已经应承了。』宝钗始则低头不语，后来便自垂泪。（心思不明。至少不像十分愉快。也不再正色讲女儿经了。宝钗此次的反应应属合理。）薛姨妈用好言劝慰，解释了好些话。宝钗自回房内，宝琴随去解闷。薛姨妈又告诉了薛蝌，叫他：『明日起身，一则打听审详的事，二则告诉你哥哥一个信儿。你即便回来。』

薛蝌去了四日，便回来回复薛姨妈道：『哥哥的事，上司已经准了误杀，一过堂就要题本了，叫咱们预备赎罪的银子。妹妹的事，说：「妈妈做主狠好的。赶着办又省了好些银子。叫妈妈不用等我。该怎么着就怎么办罢。」』（不无交易性质：贾家出力帮助营救薛蟠，薛家把闺女匆匆给了贾家。）薛姨妈听了，一则薛蟠可以回家，二则完了宝钗的事，心里安放了好些，便是看着宝钗心里好像不愿意似的，『虽是这样，他是女儿家，素来也孝顺守礼的人，知我应了，他也没得说的。』（绝对不把人——包括自己的爱女当人。）便叫薛蝌：『办泥金庚帖，填上八字，即叫人送到琏二爷那边去，还问了过礼的日子来，你好预备。本来咱们不惊动亲友。哥哥的朋友，是你说的，都是混账人；亲戚呢，就是贾王两家。如今贾家是男家，王家无人在京里。史姑娘放定的事，他家没有来请咱们，咱们也不用通知。倒是把张德辉请了来，托他照料些，他上几岁年纪的人，到底懂事。』薛蝌领命，叫人送帖过去。

次日，贾琏过来见了薛姨妈，请了安，便说：『明日就是上好的日子。今日过来回姨太太，就是明日过礼罢。只求姨太太不要挑饬就是了。』（何等急迫！贾家何等说了就算！）说着，捧过通书来。薛姨妈也谦逊了几句，点头应允。贾琏赶着回去，回明贾政。贾政便道：『你回老太太说：既不叫亲友们知道，诸事宁可简便些。若是东西上，请老

太太瞧了就是了，不必告诉我。』（两个这样的家庭联姻，能够这样潦草匆忙么？）贾琏答应，进内将话回明贾母。这里王夫人叫了凤姐命人将过礼的物件都送与贾母过目，并叫袭人告诉宝玉。那宝玉又嘻嘻的笑道：『这里送到园里，回来园里又送到这里，咱们的人送，咱们的人收，何苦来呢？』贾母王夫人听了，都喜欢道：『说他糊涂，他今日怎么这么明白呢？』鸳鸯等忍不住好笑，（鸳鸯也拿旁人的病痛，不如意当笑料么。）只得上来一件一件的点明给贾母瞧，说：『这是金项圈，这是金珠首饰，共八十件。这是妆蟒四十匹。这是各色绸缎一百二十匹。这是四季的衣服，共一百二十件。外面也没有预备羊酒，这是折羊酒的银子。』贾母看了，都说好，轻轻的与凤姐说道：『你去告诉姨太太，说：不是虚礼，求姨太太等蟠儿出来，慢慢的叫人给他妹妹做来就是了。那好日子的被褥，还是咱们这里代办了罢。』（大包大揽，有一种专横性在里头。）凤姐答应了出来，叫贾琏先过去。又叫周瑞旺儿等，吩咐他们：『不必走大门，只从园里从前开的便门内送去。我也就过去。这门离潇湘馆还远，倘别处的人见了，嘱咐他们不用在潇湘馆里提起。』众人答应着，送礼而去。宝玉认以为真，心里大乐，精神便觉得好些，只是语言总有些疯傻。（可以断定，如宝玉娶了黛玉，自然病也就好了。）那过礼的回来，都不提名说姓，因此上下人等虽都知道，只因凤姐吩咐，都不敢走漏风声。

且说黛玉虽然服药，这病日重一日。紫鹃等在旁苦劝，说道：『事情到了这个分儿，不得不说了。姑娘的心事，我们也都知道。至于意外之事，是再没有的。姑娘不信，只拿宝玉的身子说起，这样大病，怎么做得亲呢？姑娘别听瞎话，自己安心保重才好。』（紫鹃不得不明说，袭人也是不得不汇报了。不论绕多少弯子，摊牌的时候还是要摆到桌面上。）黛玉微笑一笑，也不答言，又咳嗽数声，吐出好些血来。紫鹃等看去，只有一息奄奄，明知劝不过来，惟有守着流泪。

天天三四趟去告诉贾母，鸳鸯测度贾母近日比前疼黛玉的心差了些，所以不常去回。况贾母这几日的心都在宝钗宝玉身上，不见黛玉的信儿，也不大提起，只请太医调治罢了。（疼爱也是有前提的：你必须顺着我的心。）

黛玉向来病着，自贾母起直到姊妹们的下人，常来问候；今见贾府中上下人等都不过来，连一个问的人都没有，睁开眼，只有紫鹃一人，自料万无生理，因扎挣着向紫鹃说道：『妹妹，你是我最知心的，虽是老太太派你伏侍我，这几年，我拿你就当作我的亲妹妹……』（『别紫鹃』，这是大鼓书的著名唱段，因其真情感人，或者说是有煽情效果。）说到这里，气又接不上来。紫鹃听了，一阵心酸，早哭得说不出话来。迟了半日，黛玉又一面喘，一面说道：『紫鹃妹妹！我躺着不受用，你扶起我来靠着坐坐才好。』紫鹃道：『姑娘的身上不大好，起来又要抖搂着了。』黛玉听了，闭上眼不言语了。一时，又要起来。紫鹃没法，只得同雪雁把他扶起，两边用软枕靠住，自己却倚在旁边。黛玉那里坐得住，下身自觉硌的疼，（硌得疼，瘦人的感觉。）狠命的掌着。叫过雪雁来道：『我的诗本子……』说着，又喘。雪雁料是要他前日所理的诗稿，因找来送到黛玉跟前。黛玉点点头儿，又抬眼看那箱子。雪雁不解，只是发怔。黛玉气的两眼直瞪，又咳嗽起来，又吐了一口血。雪雁连忙回身取了水来，黛玉漱了，吐在盒内。紫鹃用绢子给他拭了嘴。黛玉便拿那绢子指着箱子，又喘成一处，说不上来，闭了眼。紫鹃道：『姑娘歪歪儿罢。』黛玉又摇摇头儿。紫鹃料是要绢子，便叫雪雁开箱，拿出一块白绫绢子来。黛玉瞧了，撂在一边，使劲说道：『有字的！』紫鹃这才明白过来要那块题诗的旧帕，只得叫雪雁拿出来，递给黛玉。紫鹃劝道：『姑娘歇歇儿罢，何苦又劳神？等好了再瞧罢。』只见黛玉接到手里也不瞧诗，扎挣着伸出那只手来，狠命的撕那绢子，却是只有打

颤的分儿，那里撕得动。（撕肝裂肺，好不惨然！）紫鹃早已知他是恨宝玉，却也不敢说破，只说：『姑娘，何苦自己又生气！』黛玉点点头儿，掖在袖里。便叫：『雪雁点灯。』雪雁答应，连忙点上灯来。黛玉瞧瞧，又闭了眼坐着，喘了一会子，又道：『笼上火盆。』紫鹃打谅他冷，因说道：『姑娘躺下，多盖一件罢。那炭气只怕耽不住。』黛玉又摇头儿。雪雁只得笼上，搁在地下火盆架上。黛玉点头，意思叫挪到炕上来。雪雁只得端上来，出去拿那张火盆炕桌。那黛玉却又把身子欠起，紫鹃只得两只手来扶着他。黛玉这才将方才的绢子拿在手中，瞅着那火，点点头儿，往上一撂。紫鹃唬了一跳，欲要抢时，两只手却不敢动。雪雁又出去拿火盆桌子，此时那绢子已经烧着了。紫鹃劝道：『姑娘，这是怎么说呢。』黛玉只作不闻，回手又把那诗稿拿起来，瞧了瞧，又撂下了。紫鹃怕他也要烧，连忙将身倚住黛玉，腾出手来拿时，黛玉又早拾起，撂在火上。此时紫鹃却彀不着，干急。雪雁正拿进桌子来，看见黛玉一撂，不知何物，赶忙抢时，那纸沾火就着，如何能彀少待，早已烘烘的着了。雪雁也顾不得烧手，从火里抓起来，撂在地下乱踩，却已烧得所余无几了。（焚稿断痴情的描写是经典的，比世界文学宝库中的同类描写毫不逊色，无怪乎这一回家喻户晓，人人为之落泪。）那黛玉把眼一闭，往后一仰，几乎不曾把紫鹃压倒。紫鹃连忙叫雪雁上来，将黛玉扶着放倒，心里突突的乱跳。欲要叫人时，天又晚了；欲不叫人时，自己同着雪雁和鹦哥等几个小丫头，又怕一时有什么原故。好容易熬了一夜，到了次日早起，觉黛玉又缓过一点儿来。饭后，忽然又嗽又吐，又紧起来。（死的过程比生还要庄严，悲壮，认真。）

黛玉将死，要毁掉她与宝玉的情感的一切痕迹。毁掉她自己的青春、生命的一切痕迹。这些举动，表达了她深切的绝望与痛苦，

客观上，也是对人生的抗议。人生长恨水长东！人算什么！爱算什么！青春算什么！以死相争！首先从精神上自杀干净，再从肉体上闭眼，撒手而去。

紫鹃看着不祥了，连忙将雪雁等都叫进来看守，自己却来回贾母。那知到了贾母上房，静悄悄的，只有两三个老妈妈和几个做粗活的丫头在那里看屋子呢。紫鹃因问道：『老太太呢？』那些人都说：『不知道。』紫鹃听这话诧异，遂到宝玉屋里去看，竟也无人。遂问屋里的丫头，也说不知。紫鹃已知八九：『但这些人怎么竟这样狠毒冷淡！』（总算通过紫鹃之口骂了两句。）又想到黛玉这几天竟连一个人问的也没有，越想越悲，索性激起一腔闷气来，一扭身，便出来了。自己想了一想：『今日倒要看看宝玉是何形状，看他见了我怎么样过的去！那一年我说了一句谎话，他就急病了，今日竟公然做出这件事来。可知天下男子之心真真是冰寒雪冷，令人切齿的！』一面走，一面想，早已来到怡红院。只见院门虚掩，里面却又寂静的狠。紫鹃忽然想到：『他要娶亲，自然是有新屋子的，但不知他这新屋子在何处？』

在大观园，谁能快乐而自由？谁能不狠毒与冷淡？所有的人的感情与欲望都是被漠视的，也都漠视旁人的尤其是女人的欲望与感情。不仅漠视，而且仇视。人成为人（性）的仇敌。可怕！

正在那里徘徊瞻顾，看见墨雨飞跑，紫鹃便叫住他。墨雨过来笑嘻嘻的道：『姐姐在这里做什么？』紫鹃道：『我听见宝二爷娶亲，我要来看看热闹儿，谁知不在这里。也不知是几儿？』墨雨悄悄的道：『我这话，只告诉姐姐，你可别告诉雪雁。他们上头吩咐了，连你们都不叫知道呢。就是今日夜里娶。那里是在这里？老爷派琏二爷另收

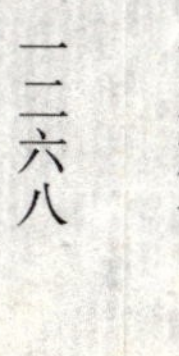

拾了房子了。』说着，又问：『姐姐有什么事么？』紫鹃道：『没什么事，你去罢。』墨雨仍旧飞跑去了。

紫鹃自己发了一回呆，忽然想起黛玉来，这时候还不知是死是活，因两泪汪汪，咬着牙，发狠道：『宝玉！我看他明儿死了，你算是躲的过不见了，你过了你那如心如意的事儿，拿什么脸来见我！』一面哭一面走，呜呜咽咽的，自回去了。还未到潇湘馆，只见两个小丫头在门里往外探头探脑的，一眼看见紫鹃，那一个便嚷道：『那不是紫鹃姐姐来了吗！』紫鹃知道不好了，连忙摆手儿不叫嚷，赶忙进去看时，只见黛玉肝火上炎，两颧红赤。（死亡进行曲！）紫鹃觉得不妥，叫了黛玉的奶妈王奶奶来，一看，他便大哭起来。这紫鹃因王奶妈有些年纪，可以仗个胆儿，谁知竟是个没主意的人，反倒把紫鹃弄得心里七上八下。忽然想起一个人来，便命小丫头急忙去请。你道是谁？原来紫鹃想起李宫裁是个孀居，今日宝玉结亲，他自然回避；况且园中诸事，向系李纨料理，所以打发人去请他。（李纨这个角色也安排得好。幸亏还有李纨。要不然呢？）

李纨正在那里给贾兰改诗，冒冒失失的见一个丫头进来回说：『大奶奶！只怕林姑娘好不了，那里都哭呢。』李纨听了，吓了一大跳，也不及问了，连忙站起身来便走。素云碧月跟着。一头走着，一头落泪，想着：『姐妹在一处一场，更兼他那容貌才情，真是寡二少双，惟有青女素娥可以仿佛一二，竟这样小小的年纪就作了北邙乡女！偏偏凤姐想出一条偷梁换柱之计，自己也不好过潇湘馆来，竟未能少尽姊妹之情，真真可怜可叹！』（怎能全赖凤姐？不怨贾母怨凤姐，弱者只敢怨下边的人，不敢怨上头的。）一头想着，已走到潇湘馆的门口。里面却又寂然无声，李纨倒着起忙来：『想来必是已死，都哭过了，那衣衾未知装裹妥当了没有？』连忙三步两步走进屋子来。里间门口一个

小丫头已经看见，便说：『大奶奶来了。』紫鹃忙往外走，和李纨走了个对脸。李纨忙问：『怎么样？』紫鹃欲说话时，惟有喉中哽咽的分儿，却一字说不出，那眼泪一似断线珍珠一般，只将一只手回过去指着黛玉。（忠奴也是感人的。黛玉将去，犹留下了种种怨嗟、抗议、悲愤在紫鹃身上。）李纨看了紫鹃这般光景，更觉心酸，也不再问，连忙走过来看时，那黛玉已不能言。李纨轻轻叫了两声。黛玉却还微微的开眼，似有知识之状，但只眼皮嘴唇微有动意，口内尚有出入之息，却要一句话、一点泪，也没有了。

李纨回身，见紫鹃不在跟前，便问雪雁。雪雁道：『他在外头屋里呢。』李纨连忙出来，只见紫鹃在外间空床上躺着，颜色青黄，闭了眼，只管流泪，那鼻涕眼泪把一个砌花锦边的褥子已湿了碗大的一片。李纨连忙唤他，那紫鹃才慢慢的睁开眼，欠起身来。李纨道：『傻丫头！这是什么时候，且只顾哭你的！林姑娘的衣衾，还不拿出来给他换上，还等多早晚呢？难道他个女孩儿家，你还叫他失身露体，精着来，光着去吗？』紫鹃听了这句话，一发止不住痛哭起来。李纨一面也哭，一面着急，一面拭泪，一面拍着紫鹃的肩膀说：『好孩子，你把我的心都哭乱了，快着收拾他的东西罢，再迟一会子就了不得了。』

黛玉之死，对于全书来说，也是写得精彩的。有戏剧性，也有合理性。『红』内容丰富，各种本子改编戏剧，都给人以挂一漏万的感觉。其实，黛玉之死才是最好的戏剧料子。

正闹着，外边一个人慌慌张张跑进来，倒把李纨唬了一跳。看时，却是平儿，跑进来，看见这样，只是呆磕磕的发怔。李纨道：『你这会子不在那边，做什么来了？』说着，林之孝家的也进来了。平儿道：『奶奶不放心，

叫来瞧瞧。既有大奶奶在这里，我们奶奶就只顾那一头儿了。』（不忘平儿的忠厚善良形象。）李纨点点头儿。平儿道：『我也见见林姑娘。』说着，一面往里走，一面早已流下泪来。这里李纨因和林之孝家的道：『你来的正好，快出去瞧瞧去，告诉管事的预备林姑娘的后事。妥当了，叫他来回我，不用到那边去。』林之孝家的答应了，还站着。李纨道：『还有什么话呢？』林之孝家的道：『刚才二奶奶和老太太商量了，那边用紫鹃姑娘使唤使唤呢。』李纨还未答言，只见紫鹃道：『林奶奶，你先请罢！等着人死了，我们自然是出去的，那里用怎么……』说到这里，却又不好说了，因又改说道：『况且我们在这里守着病人，身上也不洁净。林姑娘还有气儿呢，不时的叫我。』（紫鹃的抗议，平儿的折衷方案，都写得合理。）李纨在旁解说道：『当真，这林姑娘和这丫头也是前世的缘法儿。倒是雪雁是他南边带来的，他倒不理会；惟有紫鹃，我看他两个一时也离不开。』

林之孝家的头里听了紫鹃的话，未免不受用；被李纨这番一说，却也没的说。又见紫鹃哭得泪人一般，只好瞅着他微微的笑，因又说道：『紫鹃姑娘这些闲话倒不要紧，只是他却说得，我可怎么回老太太呢？况且这话是告诉得二奶奶的吗？』正说着，平儿擦着眼泪出来道：『告诉二奶奶什么事？』林之孝家的将方才的话说了一遍。平儿低了一回头，说：『这么着罢，就叫雪姑娘去罢。』李纨道：『他使得吗？』平儿走到李纨耳边说了几句。李纨点点头儿道：『既是这么着，就叫雪雁过去也是一样的。』林之孝家的因问平儿道：『雪姑娘使得吗？』平儿道：『使得，都是一样。』林家的道：『那么，姑娘就快叫雪姑娘跟了我去。我先去回了老太太和二奶奶。这可是大奶奶和姑娘的主意，回来姑娘再各自回二奶奶去。』李纨道：『是了，你这么大年纪，连这么点子事还不

耽呢！』林家的笑道：『不是不耽：头一宗，这件事，老太太和二奶奶办的，我们都不能狠明白；再者，又有大奶奶和平姑娘呢。』说着，平儿已叫了雪雁出来。原来雪雁因这几日嫌他小孩子家懂得什么，便也把心冷淡了；况且听是老太太和二奶奶叫，也不敢不去，连忙收拾了头。平儿叫他换了新鲜衣服，跟着林家的去了。（天生我材必有用！雪雁是太被林黛玉，也被作者冷落了。终于，有了只有她才演得来的角色！）随后平儿又和李纨说了几句话。李纨又嘱咐平儿打那么催着林之孝家的叫他男人快办了来。平儿答应着出来，转了个弯子，看见林家的带着雪雁在前头走呢，赶忙叫住道：『我带了他去罢。你先告诉林大爷办林姑娘的东西去罢。奶奶那里我替回就是了。』那林家的答应着去了。这里平儿带了雪雁到了新房子里回明了，自去办事。

雪雁是个最没有戏、没有故事也没有多少个性的角色。但此处的用场合情合理。是人的缘分，也是黛玉的孤独，她从自家带来的丫头，与她平平。一般地说，这一类情节最少『小说家言』性质，最可能直接取自生活素材。

却说雪雁看见这个光景，想起他家姑娘，也未免伤心，只是在贾母凤姐跟前不敢露出，因又想道：『也不知用我作什么？我且瞧瞧。宝玉一日家和我们姑娘好的蜜里调油，这时候总不见面了，也不知是真病假病。怕我们姑娘不依他，假说丢了玉，装出傻子样儿来，叫我们姑娘寒了心，他好娶宝姑娘的意思。我看看他去，看他见了我傻不傻。莫不成今儿还装傻么！』（雪雁的态度合乎分寸，拿捏得准。）一面想着，已溜到里间屋子门口，偷偷儿的瞧。这时宝玉虽因失玉昏愦但只听见娶了黛玉为妻，真乃是从古至今、天上人间、第一件畅心满意的事了，那身子顿觉健旺起来，只不过不似从前那般灵透，所以凤姐的妙计，百发百中，巴不得即见黛玉。盼到今日完姻，真乐得

手舞足蹈，虽有几句傻话，却与病时光景大相悬绝了。雪雁看了，又是生气，又是伤心，他那里晓得宝玉的心事，便各自走开。（宝玉不可能被理解，更不可能被原谅。）

这里宝玉便叫袭人快快给他装新，坐在王夫人屋里，看见凤姐尤氏忙忙碌碌，再盼不到吉时，只管问袭人道：『林妹妹打园里来，为什么这么费事，还不来？』袭人忍着笑道：『等好时辰回来。』（以伤害人，欺骗人为乐。）又听见凤姐与王夫人道：『虽然有服，外头不用鼓乐，咱们南边规矩要拜堂的，冷清清使不得。我传了家内学过音乐管过戏子的那些女人来，吹打热闹些。』王夫人点头说：『使得。』一时，大轿从大门进来，家里细乐迎出去，十二对宫灯排着进来，倒也新鲜雅致。傧相请了新人出轿，宝玉见新人蒙着盖头，喜娘披着红，扶着。下首扶新人的，你道是谁？原来就是雪雁。宝玉看见雪雁，犹想：『因何紫鹃不来，倒是他呢？』又想道：『是了，雪雁原是他南边家里带来的；紫鹃仍是我们家的，自然不必带来。』（愈是聪明人愈是会寻找解释。）因此，见了雪雁竟如见了黛玉的一般欢喜。傧相赞礼，拜了天地，请出贾母受了四拜，后请贾政夫妇登堂行礼毕，送入洞房。还有坐床撒帐等事，俱是按金陵旧例。贾政原为贾母作主，不敢违拗，不信冲喜之说。那知今日宝玉居然像个好人一般，贾政见了，倒也喜欢。

那新人坐了床，便要揭起盖头的。凤姐早已防备，故请贾母王夫人等进去照应。宝玉此时到底有些傻气，便走到新人跟前说道：『妹妹，身上好了？好些天不见了。盖着这劳什子做什么？』欲待要揭去，反把贾母急出一身冷汗来。宝玉又转念一想道：『林妹妹是爱生气的，不可造次。』又歇了一歇，仍是按捺不住，只得上前揭了，

喜娘接去盖头。雪雁走开，莺儿等上来伺候。宝玉睁眼一看，好像宝钗，心中不信，自己一手持灯，一手擦眼一看，可不是宝钗么！只见他盛妆艳服，丰肩愞体，鬟低鬓軃，眼瞤息微，真是荷粉露垂，杏花烟润了。宝玉发了一回怔，又见莺儿立在傍边，不见了雪雁。（魔术一般！）宝玉此时心无主意，自己反以为是梦中了，呆呆的只管站着。众人接过灯去，扶了宝玉，仍旧坐下，两眼直视，半语全无。贾母恐他病发，亲自扶他上床。凤姐尤氏请了宝钗进入里间床上坐下。宝钗此时自然是低头不语。

宝玉定了一回神，见贾母王夫人坐在那边，便轻轻的叫袭人道：『我是在那里呢？这不是做梦么？』袭人道：『你今日好日子，什么梦不梦的混说！老爷可在外头呢。』（袭人帮凶！）宝玉悄悄的拿手指着道：『坐在那里的这一位美人儿是谁？』袭人握了自己的嘴，笑的说不出话来，歇半日才说道：『是新娶的二奶奶。』众人也都回过头去，忍不住的笑。宝玉又道：『好糊涂！你说「二奶奶」，到底是谁？』（这样的婚姻也是独一无二，堪上吉尼斯世界纪录。）袭人道：『宝姑娘。』宝玉道：『林姑娘呢？』袭人道：『老爷作主娶的是宝姑娘，怎么混说起林姑娘来？』宝玉道：『我刚才看见林姑娘了么，还有雪雁呢。怎么说没有？你们这都是做什么顽呢？』凤姐便走上来，轻轻的说道：『宝姑娘在屋里坐着呢，别混说。回来得罪了他，老太太不依的。』宝玉听了，这会子糊涂更利害了。（如果前边不丢玉，这项奇婚的戏就更唱不成了。现在的前提是宝玉已经糊涂，于是只能糊涂更厉害。）本来原有昏愦的病，加以今夜神出鬼没，更叫他不得主意，便也不顾别的了，口口声声只要找林妹妹去。贾母等上前安慰，无奈他只是不懂。又有宝钗在内，又不好明说。知宝玉旧病复发，也不讲明，只得满屋里点起安息香来，定住他的神魂，扶他睡下。众人鸦雀无闻。停了

片时，宝玉便昏沉睡去，贾母等才得略略放心，只好坐以待旦，叫凤姐去请宝钗安歇。宝钗置若罔闻，也便和衣在内暂歇。（怎么能置若罔闻？简直比李纨还要『槁木死灰』。不可理解！）贾政在外，未知内里原由，只就方才眼见的光景想来，心下倒放宽了。恰是明日就是起程的吉日，略歇了一歇，众人贺喜送行。贾母见宝玉睡着，也回房去暂歇。

次早，贾政辞了宗祠，过来拜别贾母，禀称：『不孝远离，惟愿老太太顺时颐养。儿子一到任所，即修禀请安，不必挂念。宝玉的事，已经依了老太太完结，只求老太太训诲。』贾母恐贾政在路不放心，并不将宝玉复病的话说起，只说：『我有一句话：宝玉昨夜完姻，并不是同房，今日你起身，必该叫他远送才是。他因病冲喜，如今才好些，又是昨日一天劳乏，出来恐怕着了风。故此问你：你叫他送呢，我即刻去叫他；你若疼他，我就叫人带了他来你见见，叫他给你磕头就算了。』（虽非要紧关节，倒也说得过去。形象思维活跃起来，自会有这样的笔墨。）贾政道：『叫他送什么？只要他从此已后认真念书，比送我还喜欢呢。』贾母听了，又放了一条心。便叫贾政坐着，叫鸳鸯去，如此如此，带了宝玉，叫袭人跟着来。鸳鸯去了不多一会，果然宝玉来了，仍是叫他行礼。宝玉见了父亲，神志略敛些，片时清楚，也没什么大差。贾政吩咐了几句，宝玉答应了。贾政叫人扶他回去了，自己回到王夫人房中，又切实的叫王夫人管教儿子，『断不可如前骄纵。明年乡试，务必叫他下场。』（关心乡试下场，却不关心其死活。）王夫人一一的听了，也没提起别的，即忙命人扶了宝钗过来，行了新妇送行之礼，也不出房。其余内眷俱送至二门而回。贾珍等也受了一番训饬。大家举酒送行，一班子弟及晚辈亲友直送至十里长亭而别。不言贾政起程赴任。

且说宝玉回来，旧病陡发，更加昏愦，（谁能不昏？谁能不愦？）连饮食也不能进了。未知性命如何，下回分解。

宝玉『完婚』，真是天下奇事。奇闻。奇文。『红』真是奇书。人生多误区！本以为走入这一间房子，却走入那一间房子去了。婚姻离奇，凤姐离奇，薛宝钗更加离奇。她对这种『神出鬼没』的做法怎么毫无反应？连些微的疑惑、烦乱也没有？事奇理不奇，自以为天从人愿得到了黛玉，揭开盖头却是宝钗，黛玉已经一命呜呼。追求A，得到B，毁了A，这样的事固不止宝玉碰见也。后四十回诸多瑕疵仍被接受，与关键段落写得好有关。

此回与下一回，丝丝入扣而又激情沉郁，撕心裂肺，催人泪下，写作水准即使放到前八十回中去比，也是精彩篇章。如果说这是高鹗所写，那么高鹗就是另一个曹雪芹。

第九十八回　苦绛珠魂归离恨天　病神瑛泪洒相思地

魂归离恨天，泪洒相思地，此两句已脍炙人口矣！读之怆然泪下。语言的力量是难以转述的。此回回目极佳。特别是联系到神瑛侍者与绛珠仙草的故事，令人神伤！

话说宝玉见了贾政，回至房中，更觉头昏脑闷，懒待动弹，连饭也没吃，便昏沉睡去。仍旧延医诊治，服药不效，索性连人也认不明白了。（他已经被摧毁了，封建的一套终于战胜了宝玉的性灵，取得了伟大胜利。）大家扶着他坐起来，还是像个好人。一连闹了几天。那日恰是回九之期，若不过去，薛姨妈脸上过不去；若说去呢，宝玉这般光景，贾母明知是为黛玉而起，欲要告诉明白，又恐气急生变。宝钗是新媳妇，又难劝慰，必得姨妈过来才好。若不回九，姨妈嗔怪。便与王夫人凤姐商议道：『我看宝玉竟是魂不守舍，起动是不怕的。用两乘小轿，叫人扶着，从园里过去，

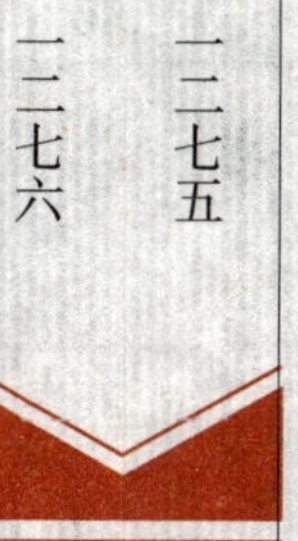

应了回九的吉期，以后请姨妈过来安慰宝钗，咱们一心一计的调治宝玉，可不两全？』王夫人答应了，即刻预备。幸亏宝钗是新媳妇，宝玉是个疯傻的，由人掇弄过去了。宝钗也明知其事，心里只怨母亲办得糊涂，事已至此，不肯多言。独有薛姨妈看见宝玉这般光景，心里懊悔，只得草草完事。（连薛姨妈也相当被动。）

到家，宝玉越加沉重，次日连起坐都不能了；日重一日，甚至汤水不进。薛姨妈等忙了手脚，各处遍请名医，皆不识病源。只有城外破寺中住着个穷医姓毕别号知庵的，诊得病源是悲喜激射，冷暖失调，饮食失时，忧忿滞中，正气壅闭：此内伤外感之症。于是度量用药。至晚服了，二更后，果然省些人事，便要水喝。（太医不中用了，便找穷医。往上不成功，便再往下。）贾母王夫人等才放了心，请了薛姨妈带了宝钗，都到贾母那里，暂且歇息。

宝玉片时清楚，自料难保，见诸人散后，房中只有袭人，因唤袭人至跟前，拉着手哭道：『我问你：宝姐姐怎么来的？我记得老爷给我娶了林妹妹过来，怎么被宝姐姐赶了去了？他为什么霸占住在这里？我要说呢，又恐怕得罪了他。你们听见林妹妹哭得怎么样了？』（总算有几句责备的话。）袭人不敢明说，只得说道：『林姑娘病着呢。』宝玉又道：『我瞧瞧他去。』说着，要起来。那知连日饮食不进，身子那能动转，便哭道：『我要死了！我有一句心里的话，只求你回明老太太：横竖林妹妹也是要死的，我如今也不能保，两处两个病人，都要死的！死了越发难张罗，不如腾一处空房子，趁早将我同林妹妹两个抬在那里，活着也好一处医治、伏侍，死了也好一处停放。你依我这话，不枉了几年的情分。』（宝玉此话好苦。）袭人听了这些话，便哭的哽嗓气噎。

宝钗恰好同了莺儿过来，也听见了，便说道：『你放着病不保养，何苦说这些不吉利的话？老太太才安慰了

些，你又生出事来。老太太一生疼你一个，如今八十多岁的人了，虽不图你的诰封，将来你成了人，老太太也看着乐一天，也不枉了老人家的苦心。（『老太太』成了杀手锏，以压倒之势压下来。）太太更是不必说了，一生的心血精神，抚养了你这一个儿子，若是半途死了，太太将来怎么样呢？我虽是命薄，也不至于此。据此三件看来，你便要死，那天也不容你死的，所以你是不得死的。（自以为是替『天』说话吗？高屋建瓴，泰山压顶。欲死亦不允许。）只管安稳着养个四五天后，风邪散了，太和正气一足，自然这些邪病都没有了。』宝玉听了，竟是无言可答，半晌，方才嘻嘻的笑道：『你是好些时不和我说话了，这会子说这些大道理的话给谁听？』宝钗听了这话，便又说道：『实告诉你说罢，那两日你不知人事的时候，林妹妹已经亡故了。』宝玉忽然坐起来，大声咤道：『果真死了吗？』宝钗道：『果真死了。岂有红口白舌咒人死的呢！老太太、太太知道你姐妹和睦，你听见他死了，自然你也要死，所以不肯告诉你。』

宝玉听了，不禁放声大哭，倒在床上，忽然眼前漆黑，辨不出方向，心中正自恍惚，只见眼前好像有人走来。宝玉茫然问道：『借问此是何处？』那人道：『此阴司泉路。你寿未终，何故至此？』宝玉道：『适闻有一故人已死，遂寻访至此，不觉迷途。』那人道：『故人是谁？』宝玉道：『姑苏林黛玉。』（虽是牵强、迷信，却也是一个昏迷——复苏的过程。）那人冷笑道：『林黛玉生不同人，死不同鬼，无魂无魄，何处寻访？凡人魂魄，聚而成形，散而为气，生前聚之，死则散焉。常人尚无可寻访，何况林黛玉呢？汝快回去罢。』（黛玉已是死而复生，生而终死了。宝玉又来一次死而复生。）宝玉听了，呆了半晌，道：『既云死者散也，又如何有这个「阴司」呢？』那人冷笑道：『那「阴司」

说有便有，说无就无。皆为世俗溺于生死之说，设言以警世，便道上天深怒愚人，或不守分安常；或生禄未终，自行夭折；或嗜淫欲，尚气逞凶，无故自殒者：特设此地狱，囚其魂魄，受无边的苦，以偿生前之罪。汝寻黛玉，是无故自陷也。且黛玉已归太虚幻境，汝若有心寻访，潜心修养，自然有时相见；如不安生，即以自行夭折之罪，囚禁阴司，除父母外，欲图一见黛玉，终不能矣。』（凡胡说八道，也有一番道理讲究。）那人说毕，袖中取出一石，（石乎玉乎？）向宝玉心口掷来。宝玉听了这话，又被这石子打着心窝，吓的即欲回家，只恨迷了道路。正在踌躇，忽听那边有人唤他。回首看时，不是别人，正是贾母、王夫人、宝钗、袭人等围绕哭泣叫着，自己仍旧躺在床上。见案上红灯，窗前皓月，依然锦绣丛中，繁华世界。定神一想，原来竟是一场大梦。浑身冷汗，觉得心内清爽。仔细一想，真正无可奈何，不过长叹数声而已。

宝钗早知黛玉已死，因贾母等不许众人告诉宝玉知道，恐添病难治，自己却深知宝玉之病实因黛玉而起，失玉次之，故趁势说明，使其一痛决绝，神魂归一，庶可疗治。（休克疗法，『红』已有之。所谓『长痛不如短痛』是也。悬着最苦，宁可落入万丈深渊也不要悬着。）贾母王夫人等不知宝钗的用意，深怪他造次，后来见宝玉醒了过来，方才放心，立即到外书房请了毕大夫进来诊视。那大夫进来诊了脉，便道：『奇怪！这回脉气沉静，神安郁散，明日进调理的药，就可以望好了。』说着出去。众人各自安心散去。袭人起初深怨宝钗不该告诉，惟是口中不好说出。莺儿背地也说宝钗道：『姑娘忒性急了。』宝钗道：『你知道什么！好歹横竖有我呢。』那宝钗任人诽谤，并不介意，只窥察宝玉心病，暗下针砭。（宝钗参加到对宝玉诛心的『系统工程』里来了。大德无名，大勇无功。）

一日，宝玉渐觉神志安定。虽一时想起黛玉，尚有糊涂。更有袭人缓缓的将『老爷选定的宝姑娘为人和厚，嫌林姑娘秉性古怪，原恐早夭。老太太恐你不知好歹，病中着急，所以叫雪雁过来哄你』的话，时常劝解。（袭人兼有生活服务、监督汇报与谆谆做思想工作的职能。）宝玉终是心酸落泪。欲待寻死，又想着梦中之言，又恐老太太、太太生气，又不得撩开。又想黛玉已死，宝钗又是第一等人物，方信『金石姻缘』有定，自己也解了好些。（只要想活，就终不可能随着死者走。）宝钗看来不妨大事，于是自己心也安了，只在贾母王夫人等前尽行过家庭之礼后，便设法以释宝玉之忧。宝玉虽不能时常坐起，亦常见宝钗坐在床前，禁不住生来旧病。宝钗每以正言劝解，以『养身要紧，你我既为夫妇，岂在一时』之语安慰他。那宝玉心里虽不顺遂，无奈日里贾母王夫人及薛姨妈等轮流相伴，夜间宝钗独去安寝，贾母又派人服侍，只得安心静养。又见宝钗举动温柔，也就渐渐的将爱慕黛玉的心肠略移在宝钗身上。（封建主义的核心之一是『人身控制学』，特别是『精神控制学』。宝钗以之自控成功，便进一步以之控制宝玉。）此是后话。

却说宝玉成家的那一日，黛玉白日已经昏晕过去，却心头口中一丝微气不断，把个李纨和紫鹃哭的死去活来。到了晚间，黛玉却又缓过来了，微微睁开眼，似有要水要汤的光景。此时雪雁已去，只有紫鹃和李纨在旁。紫鹃便端了一盏桂圆汤和的梨汁，用小银匙灌了两三匙。黛玉闭着眼，静养了一会子，觉得心里似明似暗的。此时李纨见黛玉略缓，明知是回光返照的光景，却料着还有一半天耐头，自己回到稻香村，料理了一回事情。

这里黛玉睁开眼一看，只有紫鹃和奶妈并几个小丫头在那里，便一手攥了紫鹃的手，使着劲说道：『我是不中用的人了！你伏侍我几年，我原指望咱们两个总在一处，不想我……』说着，又喘了一会子，闭了眼歇着。紫

鹃见他攥着不肯松手，自己也不敢挪动。看他的光景，比早半天好些，只当还可以回转，听了这话，又寒了半截。半天，黛玉又说道：『妹妹，我这里并没亲人，我的身子是干净的，你好歹叫他们送我回去。』说到这里，又闭了眼不言语了。那手却渐渐紧了，喘成一处，只是出气大，入气小，已经促疾的狠了。（如此补叙，更见参差，尤其刺心。）

紫鹃忙了，连忙叫人请李纨，可巧探春来了。紫鹃见了，忙悄悄的说道：『三姑娘，瞧瞧林姑娘罢！』说着，泪如雨下。探春过来，摸了摸黛玉的手，已经凉了，连目光也都散了。探春紫鹃正哭着叫人端水来给黛玉擦洗，李纨赶忙进来了。三个人才见了，不及说话。刚擦着，猛听黛玉直声叫道：『宝玉，宝玉！你好……』说到『好』字，便浑身冷汗，不作声了。（死亡也是文学的一个永恒题目，这一段写得也相当成功，可信可感。）紫鹃等急忙扶住，那汗愈出，身子便渐渐的冷了。探春李纨叫人乱着拢头穿衣，只见黛玉两眼一翻，呜呼！

香魂一缕随风散，愁绪三更入梦遥！（到关键时刻就上来这样的轻薄套话！还香什么！可恶！）

当时黛玉气绝，正是宝玉娶宝钗的这个时辰，紫鹃等都大哭起来。李纨探春想他素日的可疼，今日更加可怜，也便伤心痛哭。因潇湘馆离新房子甚远，所以那边并没听见。（怎样的对比！怎样的悲剧！）一时，大家痛哭了一阵，只听得远远一阵音乐之声，侧耳一听，却又没有了。探春李纨走出院外再听时，惟有竹梢风动，月影移墙，好不凄凉冷淡。（写声响，写影动，益发可叹可恼！写李纨在此，写平儿来过，以彰显二人的仁厚。那么写探春在此呢，盖探春大智，不可能同意，以她的女儿身份，也不可能掺和凤姐的恶劣奇谋。）

死，总有一死。可悲在于临死不得交通，隔膜着，怨恨着，遗憾着。这样的人生的终结，便只有痛苦了。这样的痛苦，又何必生？

天乎！天乎！

一时叫了林之孝家的过来，将黛玉停放毕，派人看守，等明早去回凤姐。凤姐因见贾母王夫人等忙乱，贾政起身，又为宝玉昏愦更甚，正在着急异常之时，若是又将黛玉的凶信一回，恐贾母王夫人愁苦交加，急出病来，只得亲自到园。到了潇湘馆内，也不免哭了一场。（哭归哭，行事归行事，这也是一种人格的分裂。）见了李纨探春，知道诸事齐备，便说：『狠好。只是刚才你们为什么不言语，叫我着急？』探春道：『刚才送老爷，怎么说呢？』凤姐道：『还倒是你们两个可怜他些。这么着，我还得那边去招呼那个冤家呢。但是这件事好累坠，若是今日不回，使不得；若回了，恐怕老太太搁不住。』李纨道：『你去见机行事，得回再回方好。』凤姐点头，忙忙的去了。

凤姐到了宝玉那里，听见大夫说不妨事，贾母王夫人略觉放心，凤姐便背了宝玉，缓缓的将黛玉的事回明了。贾母王夫人听得，都唬了一大跳。贾母眼泪交流，说道：『是我弄坏了他了。但只是这个丫头也忒傻气！』说着，便要到园里去哭他一场，又惦记着宝玉，两头难顾。（『哭他一场』云云，既是真情，又是形式、程序了。黛玉毕竟以自己的死给贾母等的专横圆满计划捅了一个洞。）王夫人等含悲共劝贾母：『不必过去，老太太身子要紧。』贾母无奈，只得叫王夫人自去。又说：『你替我告诉他的阴灵：「并不是我忍心不来送你，只为有个亲疏。你是我的外孙女儿，是亲的了；若与宝玉比起来，可是宝玉比你更亲些。倘宝玉有些不好，我怎么见他父亲呢。」』说着，又哭起来。（贾母的反应也只可如此。应该说，在这些事情上，贾母也是不自由的。）王夫人劝道：『林姑娘是老太太最疼的，但只寿夭有定，如今已经死了，无可尽心，只是葬礼上要上等的发送。一则可以少尽咱们的心；二则就是姑太太和外甥女儿的阴

灵儿也可以少安了。』贾母听到这里，越发痛哭起来。

凤姐恐怕老人家伤感太过，明仗着宝玉心中不甚明白，便偷偷的使人来撒个谎儿，哄老太太道：『宝玉那里找老太太呢。』贾母听见，才止住泪问道：『不是又有什么缘故？』凤姐陪笑道：『没什么缘故，他大约是想老太太的意思。』贾母连忙扶了珍珠儿，凤姐也跟着，过来。走至半路，正遇王夫人过来，一一回明了贾母，贾母自然又是哀痛的；只因要到宝玉那边，只得忍泪含悲的说道：『既这么着，我也不过去了，由你们办罢。我看着心里也难受，只别委屈了他就是了。』（可恶！）王夫人凤姐一一答应了，贾母才过宝玉这边来。见了宝玉，因问：『你做什么找我？』宝玉笑道：『我昨日晚上看见林妹妹来了，他说要回南去。我想没人留的住，还得老太太给我留一留他。』贾母听着，说：『使得，只管放心罢。』袭人可扶宝玉躺下。

贾母出来，到宝钗这边来。那时宝钗尚未回九，所以每每见了人，到有些含羞之意。这一天，见贾母满面泪痕，递了茶，贾母叫他坐下。宝钗侧身陪着坐了，才问道：『听得林妹妹病了，不知他可好些了？』贾母听了这话，那眼泪止不住流下来，因说道：『我的儿！我告诉你，你可别告诉宝玉。都是因你林妹妹，才叫你受了多少委屈！你如今作媳妇了，我才告诉你，这如今你林妹妹没了两三天了，就是娶你的那个时辰死的。如今宝玉这一番病，还是为着这个。你们先都在园子里，自然也都是明白的。』宝钗把脸飞红了，想到黛玉之死，又不免落下泪来。（宝钗反应，写得太粗。）贾母又说了一回话，去了。自此，宝钗千回万转，想了一个主意，只不肯造次，所以过了回九，才想出弄个法子来。如今果然好些，然后大家说话才不至似前留神。

独是宝玉虽然病势一天好似一天，他的痴心总不能解，必要亲去哭他一场。贾母等知他病未除根，不许他胡思乱想，怎奈他郁闷难堪，病多反复。倒是大夫看出心病，索性叫他开散了再用药调理，倒可好得快些。宝玉听说，立刻要往潇湘馆来。贾母等只得叫人抬了竹椅子过来，扶宝玉坐上，贾母王夫人即便先行。到了潇湘馆内，一见黛玉灵柩，贾母已哭得泪干气绝。凤姐等再三劝住。王夫人也哭了一场。李纨便请贾母王夫人在里间歇着，犹自落泪。宝玉一到，想起未病之先，来到这里，今日屋在人亡，不禁嚎啕大哭。想起从前何等亲密，今日死别，怎不更加伤感！众人原恐宝玉病后过哀，都来解劝。宝玉已经哭得死去活来，大家搀扶歇息。其余随来的，如宝钗，俱极痛哭。（场面极哀伤。似应写一点宝玉的举止动作，方见生动，亦能与黛玉焚稿等对应。）独是宝玉必要叫紫鹃来见，问明姑娘临死有何话说。紫鹃本来深恨宝玉，见如此，心里已回过来些；又有贾母王夫人都在这里，不敢洒落宝玉，便将林姑娘怎么复病，怎么烧毁帕子，焚化诗稿，并将临死说的话一一的都告诉了。宝玉又哭得气噎喉干。（哭最痛心！哭最无力！哭最容易成为形式过场！）探春趁便又将黛玉临终嘱咐带柩回南的话也说了一遍。（带柩回南，连鬼魂也不再进大观园了。）贾母王夫人又哭起来。多亏凤姐能言劝慰，略略止些，便请贾母等回去。宝玉那里肯舍，无奈贾母逼着，只得勉强回房。

贾母有了年纪的人，打从宝玉病起，日夜不宁，今又大痛一阵，已觉头晕身热，虽是不放心惦着宝玉，却也扎挣不住，回到自己房中睡下。王夫人更加心痛难禁，也便回去，派了彩云帮着袭人照应，并说：『宝玉若再悲戚，速来告诉我们。』宝钗是知宝玉一时必不能舍，也不相劝，只用讽刺的话说他。宝玉倒恐宝钗多心，

也便饮泣收心。（死是悲痛的极致，但也是悲痛的结束。宝钗采取的是置之死地而后生的法子。）歇了一夜，倒也安稳。明日一早，众人都来瞧他，但觉气虚身弱，心病倒觉去了几分。于是加意调养，渐渐的好起来。贾母幸不成病，惟是王夫人心痛未痊。那日薛姨妈过来探望，看见宝玉精神略好，也就放心，暂且住下。

一日，贾母特请薛姨妈过去商量，说：『宝玉的命，都亏姨太太救的。如今想来不妨了，独委屈了你的姑娘。如今宝玉调养百日，身体复旧，又过了娘娘的功服，正好圆房。要求姨太太作主，另择个上好的吉日。』（乐极生悲，悲极也要生乐了么？）薛姨妈便道：『老太太主意狠好，何必问我？宝丫头虽生的粗笨，心里却还是极明白的。他的情性，老太太素日是知道的。但愿他们两口儿言和意顺，从此老太太也省好些心，我姐姐也安慰些，我也放了心了。老太太便定个日子。还通知亲戚不用呢？』贾母道：『宝玉和你们姑娘生来第一件大事，况且费了多少周折，如今才得安逸，必要大家热闹几天。亲戚都要请的。一来酬愿，二则咱们吃杯喜酒，也不枉我老人家操了好些心。』薛姨妈听说，自然也是喜欢的，便将要办妆奁的话也说了一番。贾母道：『咱们亲上做亲，我想也不必这些。若说动用的，他屋里已经满了；必定宝丫头他心爱的要你几件，姨太太就拿了来。我看宝丫头也不是多心的人，不比的我那外孙女儿的脾气，所以他不得长寿。』说着，连薛姨妈也便落泪。恰好凤姐进来，笑道：『老太太姑妈又想着什么了？』薛姨妈道：『我和老太太说起你林妹妹来所以伤心。』凤姐笑道：『老太太和姑妈且别伤心。我刚才听了个笑话儿来了，意思说给老太太和姑妈听。』（黛玉一死，谁能释然？凤姐的笑话开始令读者反感了。）贾母拭了拭眼泪，微笑道：『你又不知要编派谁呢？你说来，我和姨太太听听。说不笑，我们可不依。』只见那凤姐未

从张口，先用两只手比着，笑弯了腰了。未知他说出些什么来，下回分解。

连续几回写宝黛爱情悲剧，和玉钗婚姻悲剧，熙熙攘攘，大喜大悲，甚见功力。实是续作的奇迹，古今中外，有这样的续作，令人难以置信。

让读者回到天宫中的神瑛侍者与绛珠仙子的故事上去吧，悲痛或可升华，悲痛永为忆念。

第九十九回　守官箴恶奴同破例　阅邸报老舅自担惊

浓墨重彩地写宝黛爱情悲剧凡三回之后，这一回，又岔开写别的事去了。固然有把宝黛爱情作为『红』的主线的评家，这个爱情也确实重要、感人。各种戏曲本子都是以此为主线的，但是，它占的篇幅并不大，到此为止，写这个『主线』的不过二十几回。续作能写三回，已属罕见。『主线』云云，因为评家乐道，但确与『红』的丰富性、立体性不甚贴切。

话说凤姐见贾母和薛姨妈为黛玉伤心，便说：『有个笑话儿说给老太太和姑妈听。』未从开口，先自笑了。因说道：『老太太和姑妈打谅是那里的笑话儿？就是咱们家的那二位新姑爷新媳妇啊！』贾母道：『怎么了？』凤姐拿手比着道：『一个这么坐着，一个这么站着，一个这么扭过去，一个这么转过来，一个又……』说到这里，贾母已经大笑起来，（凤姐说什么贾母都爱听爱笑，别人就未必，这也是音乐与音乐之耳的关系。）说道：『你好生说罢，倒不是他们两口儿，你倒把人怄的受不得了。』薛姨妈也笑道：『你往下直说罢，不用比了。』凤姐才说道：『刚才

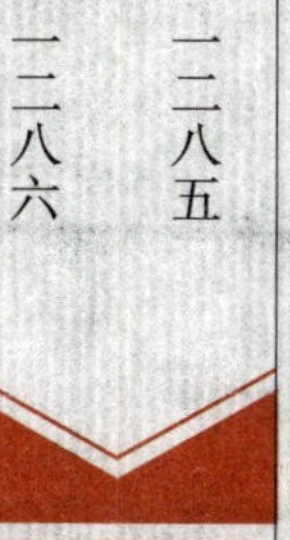

我到宝兄弟屋里，我听见好几个人笑。我只道是谁，巴着窗户眼儿一瞧，原来宝妹妹坐在炕沿上，宝兄弟站在地下。宝兄弟拉着宝妹妹的袖子，口口声声只叫：「宝姐姐！你为什么不会说话了？你这么说一句话，我的病包管全好。」宝妹妹却扭着头，只管躲。宝兄弟却作了一个揖，上去又拉宝妹妹的衣服。宝妹妹急得一扯，宝兄弟自然病后是脚软的，索性一扑，扑在宝妹妹身上了。宝妹妹急得红了脸，说道：「你越发比先不尊重了。」』说到这里，贾母和薛姨妈都笑起来。凤姐又道：『宝兄弟便立起身来，笑道：「亏了跌了这一交，好容易才跌出你的话来了。」』薛姨妈笑道：『这是宝丫头古怪。这有什么的？既作了两口儿，说说笑笑的怕什么？他没见他琏二哥和你。』凤姐儿笑道：『这是怎么说呢？我饶说笑话给姑妈解闷儿，姑妈反到拿我打起卦来了。』（如果这也算笑话，人生中可笑之话也太少了。）贾母也笑道：『要这么着才好。夫妻固然要和气，也得有个分寸儿。我爱宝丫头就在这尊重上头。只是我愁着宝玉还是那么傻头傻脑的，这么说起来，比头里竟明白多了。你再说说，还有什么笑话儿没有？』凤姐道：『明儿宝玉圆了房，亲家太太抱了外孙子，那时候不更是笑话儿了么？』贾母笑道：『猴儿，我在这里同着姨太太想你林妹妹，你来怄个笑儿还罢了，怎么臊起皮来了！你不叫我们想你林妹妹，你不用太高兴了，你林妹妹恨你，将来不要独自一个到园里去，堤防他拉着你不依。』（不恨您老人家吗？也是预告。）凤姐笑道：『他倒不怨我，他临死咬牙切齿，倒恨着宝玉呢。』贾母薛姨妈听着还道是顽话儿，也不理会，便道：『你别胡拉扯了。你去叫外头挑个狠好的日子给你宝兄弟圆了房儿罢。』凤姐去了，择了吉日，重新摆酒，唱戏，请亲友，这不在话下。

却说宝玉虽然病好复元，宝钗有时高兴，翻书观看，谈论起来，宝玉所有眼前常见的，尚可记忆，若论灵机，大不似从前活变了，连他自己也不解。宝钗明知是『通灵』失去，所以如此。倒是袭人时常说他：『你何故把从前的灵机都忘了？那些旧毛病忘了才好，为什么你的脾气还觉照旧，在道理上更糊涂了呢？』宝玉听了，并不生气，反是嘻嘻的笑。有时宝玉顺性胡闹，多亏宝钗劝说，诸事略觉收敛些。袭人倒可少费些唇舌，惟知悉心伏侍。别的丫头素仰宝钗贞静和平，各人心服，无不安静。（晴雯已死，芳官已不知所终，还有什么『别的丫头』可说？）

只有宝玉到底是爱动不爱静的，时常要到园里去逛。贾母等一则怕他招受寒暑，二则恐他睹景伤情，虽黛玉之柩已寄放城外庵中，然而潇湘馆依然人亡屋在，不免勾起旧病来，所以也不使他去。况且亲戚姊妹们，薛宝琴已回到薛姨妈那边去了；史湘云因史侯回京，也接了家去了，又有了出嫁的日子，所以不大常来。只有宝玉娶亲那一日，与吃喜酒这天，来过两次，也只在贾母那边住下，为着宝玉已经娶过亲的人，又想自己就要出嫁的，也不肯如从前的诙谐谈笑，就是有时过来，也只和宝钗说话，见了宝玉，不过问好而已；那邢岫烟却是因迎春出嫁之后，便随着邢夫人过去；李家姊妹也另住在外，即同着李婶娘过来，亦不过到太太们与姐妹们处请安问好，即回到李纨那里略住一两天就去了，所以园内的只有李纨、探春、惜春了。（好景不在，好梦难圆。无忧无虑的少年时代已经一去不复返了。遥想芦雪亭联诗的场面，怎能不如隔世？）贾母还要将李纨等挪进来，为着元妃薨后，家中事情接二连三，也无暇及此。现今天气一天热似一天，园里尚可住得，等到秋天再挪。此是后话，暂且不提。（人有荣枯定数，园亦有定数乎？）

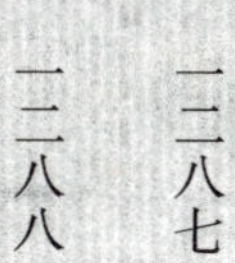

且说贾政带了几个在京请的幕友，晓行夜宿，一日，到了本省，见过上司，即到任拜印受事，便查盘各属州县粮米仓库。贾政向来作京官，只晓得郎中事务都是一景儿的事情；就是外任，原是学差，也无关于吏治上，所以外省州县，折收粮米，勒索乡愚，这些弊端，虽也听见别人讲究，却未尝身亲其事，只有一心做好官。便与幕宾商议，出示严禁，并谕以一经查出，必定详参揭报。初到之时，果然胥吏畏惧，便百计钻营；偏遇贾政这般古执。那些家人，跟了这位老爷，在都中一无出息，好容易盼到主人放了外任，便在京指着在外发财的名头向人借贷做衣裳，装体面，心里想着到了任，银钱是容易的了。（外任官吏种种弊病，病入膏肓，无法医治。甚至是愈治愈病。）不想这位老爷呆性发作，认真要查办起来，州县馈送，一概不受。门房、签押等人，心里盘算道：『我们再挨半个月，衣服也要当完了，账又逼起来，那可怎么样好呢？眼见得白花花的银子，只是不能到手。』那些长随也道：『你们爷们到底还没花什么本钱来的。我们才冤，花了若干的银子，打了个门子，来了一个多月，连半个钱也没见过！想来跟这个主儿是不能捞本儿的了。明儿我们齐打伙儿告假去。』次日，果然聚齐，都来告假。贾政不知就里，便说：『要来也是你们，要去也是你们。既嫌这里不好，就都请便。』（恶人吏治，需要恶人治吏，便是恶性循环。清官岂是容易做的？）

那些长随怨声载道而去，只剩下些家人，又商议道：『他们可去的去了，我们去不了的，到底想个法儿才好。』内中有一个管门的叫李十儿，便说：『你们这些没能耐的东西，着什么忙！我见这「长」字号儿的在这里，不犯给他出头。如今都饿跑了，瞧瞧你十太爷的本领，少不得本主儿依我。只是要你们齐心，打伙儿弄几个钱，回家受用；若不随我，我也不管了，横竖拚得过你们。」众人都说：「好十爷！你还主儿信得过。若你不管，我们实在是死症了。」李十儿道：「不要我出了头，得了银钱，又说我得了大分儿了，窝儿里反起来，大家没意思。」众人道：「你万安，没有的事。就没有多少，也强似我们腰里掏钱。」

正说着，只见粮房书办走来找周二爷。李十儿坐在椅子上，跷着一只腿，挺着腰，说道：「找他做什么？」书办便垂手陪着笑，说道：「本官到了一个多月的任，这些州县太爷见得本官的告示利害，知道不好说话，到了这时候，都没有开仓。若是过了漕，你们太爷们来做什么的？」李十儿说：「你别混说，老爷是有根蒂的，说到那里是要办到那里。这两天原要行文催兑，因我说了缓几天，才歇的。你到底找我们周二爷做什么？」书办道：「原为打听催文的事，没有别的。」李十儿道：「越发胡说！方才我说催文，你就信嘴胡诌。可别鬼鬼祟祟来讲什么账，我叫本官打了你，退你。」书办道：「我在这衙门内已经三代了，外头也有些体面，家里还过得，就规规矩矩伺候本官升了还能够，不像那些等米下锅的。」说着，回了一声：「二太爷，我走了。」李十儿便站起，堆着笑说：「这么不禁玩，几句话就脸急了。」书办道：「不是我脸急，若再说什么，岂不带累了二太爷的清名呢。」李十儿过来拉着书办的手，说：「你贵姓啊？」书办道：「不敢，我姓詹，单名是个会字。从小儿也在京里浑了几年。」李十儿道：「詹先生，我是久闻你的名的。我们弟兄们是一样的。有什么话，晚上到这里，咱们说一说。」书办也说：「谁不知道李十太爷是能事的，把我一诈，就吓毛了。」大家笑着走开。那晚便与书办咕唧了半夜。（真真假假，互相试探，真人不露相，露相非真人，不到火候不揭锅。一副鬼祟祟而又装模作样的行状。）

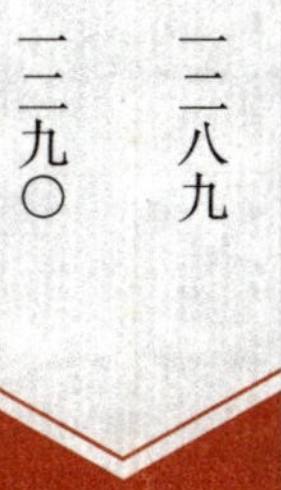

第二天，拿话去探贾政，被贾政痛骂了一顿。隔一天拜客，里头吩咐伺候，外头答应了。停了一会子，打点已经三下了，大堂上没有人接鼓，好容易叫个人来打了鼓。贾政踱出暖阁，站班喝道的衙役只有一个。贾政也不查问，在墀下上了轿，等轿夫，又等了好一回，来齐了，抬出衙门，那个炮只响得一声。吹鼓亭的鼓手，只有一个打鼓，一个吹号筒。贾政便也生气，说：「往常还好，怎么今儿不齐集至此？」抬头看那执事，却是搀前落后。勉强拜客回来，便传误班的要打。有的说因没有帽子误的；有的说是号衣当了误的；又有的说是三天没吃饭抬不动。贾政生气，打了一两个，也就罢了。（有中国特色的罢工、怠工，「红」已有之。）

隔一天，管厨房的上来要钱，贾政带来银两付了。以后便觉样样不如意，比在京的时候倒不便了好些。无奈，便唤李十儿问道：「我跟来这些人，怎样都变了？你也管管。现在带来银两，早使没有了。藩库俸银尚早，该打发京里取去。」李十儿禀道：「奴才那一天不说他们？不知道怎么样，这些人都是没精打彩的，叫奴才也没法儿。老爷说家里取银子，取多少？现在打听节度衙门这几天有生日，别的府道老爷都上千上万的送了，我们到底送多少呢？」（下人联合起来，照样可以整官员。）贾政道：「为什么不早说？」李十儿说：「老爷最圣明的。我们新来乍到，又不与别位老爷狠来往，谁肯送信？巴不得老爷不去，便好想老爷的美缺。」贾政道：「胡说！我这官是皇上放的，不与节度做生日，便叫我不做不成！」（迂腐无能。权力虽然集中，行事仍然一层层地来。）李十儿笑着回道：「老爷说的也不错。京里离这里狠远，凡百的事，都是节度奏闻。他说好便好，说不好便吃不住。到得明白，已经迟了。就是老太太、太太们，那个不愿意老爷在外头烈烈轰轰的做官呢！』（直接痛写地方官府的腐败，这在前八十回也罕见，虽有贾雨村护官符一节，没有这里揭得深透。）

贾政听了这话，也自然心里明白，道：『我正要问你，为什么都说起来？』李十儿回说：『奴才本不敢说，老爷既问到这里，若不说，是奴才没良心；若说了，少不得老爷又生气。』贾政道：『只要说得在理。』李十儿说道：『那些书吏衙役，都是花了钱买着粮道的衙门，那个不想发财？俱要养家活口。自从老爷到了任，并没见为国家出力，倒先有了口碑载道。』贾政道：『民间有什么话？』李十儿道：『百姓说：「凡有新到任的老爷，告示出的愈利害，愈是想钱的法儿。州县害怕了，好多多的送银子。」收粮的时候，衙门里便说，新道爷的法令，明是不敢要钱，这一留难刁蹬，那些乡民心里愿意花几个钱，早早了事。所以那些人不说老爷好，反说不谙民情。便是本家大人，是老爷最相好的，他不多几年，已巴到极顶的分儿，也只为识时达务，能彀上和下睦罢了。』（入木三分！）贾政听到这话，道：『胡说！我就不识时务吗？若是上和下睦，叫我与他们「猫鼠同眠」吗？』（清官也拿体制性腐败无法。）李十儿回说道：『奴才为着这点忠心儿掩不住，才这么说。若是老爷就是这样做去，到了功不成、名不就的时候，老爷又说奴才没良心，有什么话，不告诉老爷了。』

贾政道：『依你怎么做才好？』李十儿道：『也没有别的，趁着老爷的精神年纪，里头的照应，老太太的硬朗，为顾着自己就是了。不然，到不了一年，老爷家里的钱也都贴补完了，还落了自上至下的人抱怨，都说老爷是做外任的，自然弄了钱藏着受用。倘遇着一两件为难的事，谁肯帮着老爷？那时办也办不清，悔也悔不及。』贾政道：

『据你一说，是叫我做贪官吗？送了命还不要紧，必定将祖父的功勋抹了才是？』李十儿回禀道：『老爷极圣明的人，没看见旧年犯事的几位老爷吗？这几位都与老爷相好，老爷常说是个做清官的，如今名在那里？现有几位亲戚，老爷向来说他们不好的，如今升的升，迁的迁。（清官无名，赃官无报应。多么严酷的事实！李十儿的话把清官明镜的神话撕了个粉碎！）只在要做的好就是了。老爷要知道：民也要顾，官也要顾。若是依着老爷，不准州县得一个大钱，外头这些差使谁办？只要老爷外面还是这样清名声原好；里头的委屈，只要奴才办去，关碍不着老爷的。奴才跟主儿一场，到底也要掏出忠心来。』贾政被李十儿一番言语，说得心无主见，道：『我是要保性命的，你们闹出来不与我相干！』说着，便踱了进去。（一接触到实际生活实际问题，贾政给李十儿当跟班也不配。）

李十儿便自己做起威福，钩连内外一气的哄着贾政办事，反觉得事事周到，件件随心，所以贾政不但不疑，反多相信。便有几处揭报，上司见贾政古朴忠厚，也不查察。惟是幕友们耳目最长，见得如此，得便用言规谏，无奈贾政不信，也有辞去的，也有与贾政相好在内维持的。于是，漕务事毕，尚无越。

一日，贾政无事，在书房中看书，签押上呈进一封书子，外面官封，上开着『镇守海门等处总制公文一角，飞递江西粮道衙门』。贾政拆封看时，只见上写道：

金陵契好，桑梓情深。昨岁供职来都，窃喜常依座右。仰蒙雅爱，许结『朱陈』，至今佩德勿谖。只因调任海疆，未敢造次奉求，衷怀歉仄，自叹无缘。今幸棨戟遥临，快慰平生之愿。正申燕贺，先蒙翰教，边帐光生，武夫额手。虽隔重洋，尚叨樾荫。想蒙不弃卑寒，希望茑萝之附。小儿已承青盼，淑媛素仰芳仪。如蒙践诺，即遣冰人。

途路虽遥，一水可通。不敢云百辆之迎，敬备仙舟以俟。兹修寸幅，恭贺升祺，并求金允。临颖不胜待命之至。

世弟周琼顿首。（尺牍写作，十分规范。）

贾政看了，心想：『儿女姻缘，果然有一定的。旧年因见他就了京职，又是同乡的人，素来相好，又见那孩子长得好，在席间原提起这件事。因未说定，也没有与他们说起。后来他调了海疆，大家也不说了。不料我今升任至此，他写书来问。我看起门户，却也相当，与探春倒也相配。但是我并未带家眷，只可写字与他商议。』正在踌躇，只见门上传进一角文书，是议取到省会议事件，贾政只得收拾上省，候节度派委。（一般交代而已，了无趣味。甚至给人以匆匆赶走探春之感。）

（恶是吏治的最高统治者，是吏治的上帝。离开了恶，寸步难行。认同于恶，一切才能运转。封建道德、『四书五经』的大道理，与实际生活完全脱离，只能使恶往更加恶的方向发展。正面实写大观园之外乃至京都之外的吏治官情，除此回是绝无仅有的，这是续作的一个突破。贪赃枉法有理，清廉没门儿，风气已经如此，实际利害关系已经这样构筑起来，任何人都没有回天之力。而且贾政并不清廉，他不是也参与了『营救薛蟠』的事了么？贾政又不了解下情，没有一套应付对策，怎能不落个虚张声势，徒落笑柄的下场？）

一日，在公馆闲坐，见桌上堆着一堆字纸，贾政一一看去，见刑部一本：『为报明事，会看得金陵籍行商薛蟠……』贾政便吃惊道：『了不得！已经提本了。』随用心看下去，是薛蟠殴伤张三身死，串嘱尸证，捏供误杀一案。贾政一拍桌道：『完了！』（没有不需要还的欠账。欠了账，就坐到火炉上了。）只得又看底下，是：

据京营节度使咨称：『缘薛蟠籍隶金陵，行过太平县，在李家店歇宿，与店内当槽之张三素不相认。于某年月日，薛蟠令店主备酒邀请太平县民吴良同饮，令当槽张三取酒。因酒不甘，薛蟠令换好酒。张三因称酒已沽定，难换。薛蟠因伊倔强，将酒照脸泼去，不期去势甚猛，恰值张三低头拾箸，一时失手，将酒碗掷在张三囟门，皮破血出，逾时殒命。李店主趋救不及，随向张三之母告知。伊母张王氏往看，见已身死，随喊禀地保，赴县呈报。前署县诣验，仵作将骨破一寸三分及腰眼一伤，漏报填格，详府审转。看得薛蟠实系泼酒失手，掷碗误伤张三身死，将薛蟠照过失杀人，准斗杀罪收赎』等因前来。臣等细阅各犯证尸亲前后供词不符，且查斗杀律注云：『相争为斗，相打为殴。必实无争斗情形，邂逅身死，方可以过失杀定拟。』应令该节度审明实情，妥拟具题。今据该节度疏称：『薛蟠因张三不肯换酒，醉后拉着张三右手，先殴腰眼一拳，张三被殴回骂，薛蟠将碗掷出，致伤囟门深重，骨碎脑破，立时殒命。是张三之死实由薛蟠以酒碗砸伤深重致死，自应以薛蟠拟抵，将薛蟠依斗杀律拟绞监候，吴良拟以杖徒。承审不实之府州县，应请……（反复说一件事，未免拖沓。）

以下注着『此稿未完』。

贾政因薛姨妈之托，曾托过知县；若请旨革审起来，牵连着自己，好不放心。即将下一本开看，偏又不是，只好翻来复去，将报看完，终没有接这一本的，心中狐疑不定，更加害怕起来。正在纳闷，只见李十儿进来：『请老爷到官厅伺候去，大人衙门已经打了二鼓了。』贾政只是发怔，没有听见。李十儿又请一遍。贾政道：『这便怎么处？』李十儿道：『老爷有什么心事？』贾政将看报之事说了一遍。李十儿道：『老爷放心。若是部里这么办了，还算便宜薛大爷呢！奴才在京的时候，听见薛大爷在店里叫了好些媳妇，都喝醉了生事，直把个当槽儿的活活打死的。奴才听见不但是托了知县，还求琏二爷去花了好些钱，各衙门打通了，才提的，不知道怎么部里没有弄明白。如今就是闹破了，也是官官相护的，不过认个承审不实，革职处分罢，那里还肯认得银子听情呢？老爷不用想，等奴才再打听罢，不要误了上司的事。』贾政道：『你们那里知道？只可惜那知县听了一个情，把这个官都丢了，还不知道有罪没有呢！』李十儿道：『如今想他也无益，外头伺候着好半天了，请老爷就去罢。』（李十儿这一类人，各衙门里都有，他们极为危险，惹是生非，制造后患。但官员又常常离不开他们。如果官员精明，就可以用之而不为所用，如是贾政这种迂人，忽『左』忽右，只能身受其害。）贾政不知节度传办何事，且听下回分解。

这个贾政欲『清廉』而不得，一败涂地，终于向腐败风气投降的故事，写得很精彩也很尖锐。从阶级斗争的观点看，这一回的描写的批判性之强，是全书的一个高峰。可联系第四回看，而又比第四回更怵目惊心。

府内府外，京官外任，都是一片黑暗腐恶。醒醒吧，那些相信至今可以以《三字经》《弟子规》治天下的人。

第一百回　破好事香菱结深恨　悲远嫁宝玉感离情

话说贾政去见了节度，进去了半日，不见出来，外头议论不一。李十儿在外也打听不出什么事来，便想到报上的饥荒，实在也着急。（也是从虚惊开始，渐渐恶化。）好容易听见贾政出来，便迎上来跟着，等不得回去，在无人处，便问：『老爷进去这半天，有什么要紧的事？』贾政笑道：『并没有事。只为镇海总制是这位大人的亲戚，有书

来嘱托照应我，所以说了些好话。又说：「我们如今也是亲戚了。」』李十儿听得，心内喜欢，不免又壮了些胆子，便竭力怂恿贾政许这亲事。贾政心想，薛蟠的事到底有什么挂碍，在外头信息不早，难以打点，故回到本任来便打发家人进京打听；顺便将总制求亲之事回明贾母，如若愿意，即将三姑娘接到任所。（看来贾政对这门亲事难说十分称心，更多的是对自己仕途的考虑。）家人奉命，赶到京中回明了王夫人，便在吏部打听得贾政并无处分，惟将署太平县的这位老爷革职。即写了禀帖，安慰了贾政，然后住着等信。

且说薛姨妈为着薛蟠这件人命官司，各衙门内不知花了多少银钱，才定了误杀具题。原打量将当铺折变给人，备银赎罪，不想刑部驳审，又托人花了好些钱，总不中用，依旧定了个死罪，监着守候秋天大审。薛姨妈又气又疼，日夜啼哭。宝钗虽时常过来劝解，（宝钗的长篇大论不过平平常常的话。）说是：『哥哥本来没造化，承受了祖父这些家业，就该安安顿顿的守着过日子。在南边已经闹的不像样，便是香菱那件事情，就了不得。因为仗着亲戚们的势力，花了些银钱，这算白打死了一个公子。哥哥就该改过，做起正经人来，也该奉养母亲才是，不想进了京仍是这样。妈妈为他，不知受了多少气，哭掉了多少眼泪。给他娶了亲，原想大家安安逸逸的过日子，不想命该如此，偏偏娶的嫂子又是一个不安静的，所以哥哥躲出门的。真正俗语说的，「冤家路儿狭」，不多几天就闹出人命来了！妈妈和二哥哥也算不得不尽心的了：花了银钱不算，自己还求三拜四的谋干。无奈命里应该，也算自作自受。大凡养儿女是为着老来有靠，便自小户人家，还要挣一碗饭养活母亲；那里有将现成的闹光了，反害的老人家哭的死去活来的？（从父母与子女的相互伦理义务上谈问题，抓不住症结。）不是我说，哥哥的这样行为，不是儿子，

竟是个冤家对头。妈妈再不明白，明哭到夜，夜哭到明，又受嫂子的气。我呢，又不能常在这里劝解。我看见妈妈这样，那里放得下心。他虽说是傻，也不肯叫我回去。前儿老爷打发人回来说，看见京报，唬的了不得，所以才叫人来打点的。我想哥哥闹了事，担心的人也不少。幸亏我还是在跟前的一样；若是离乡调远，听见了这个信，只怕我想妈妈也就想杀了。我求妈妈暂且养养神，趁哥哥的活口现在，问问各处的账目。人家该咱们的，咱们该人家的，亦该请个旧伙计来算一算，看看还有几个钱没有。』（宝钗分析问题，合乎当时的『原则』，但决不像贾政那样迂腐不通，而是以实求实，入理入情，也算个人才了。）薛姨妈哭着说道：『这几天为闹你哥哥的事，你来了，不是你劝我，便是我告诉你衙门的事。你还不知道：京里的官商名字已经退了，两个当铺已经给了人家，银子早拿来使完了。还有一个当铺，管事的逃了，亏空了好几千两银子，也夹在里头打官司。你二哥哥天天在外头要账，料着京里的账已经去了几万银子，只好拿南边公分里银子并住房折变才彀。前两天还听见一个荒信，说是南边的公当铺也因为折了本儿收了。若是这么着，你娘的命可就活不成的了！』（薛家也是一败涂地。自作自受，何能怨天尤人！）说着，又大哭起来。宝钗也哭着劝道：『银钱的事，妈妈操心也不中用，还有二哥哥给我们料理。单可恨这些伙计们，见咱们的势头儿败了，各自奔各自的去也罢了，我还听见说帮着人家来挤我们的讹头。（历来如此，自然如此，不足为奇。）可见我哥哥活了这么大，交的人总不过是些个酒肉弟兄，急难中是一个没有的。妈妈若是疼我，听我的话：有年纪的人自己保重些；妈妈这一辈子想来还不致挨冻受饿。（只求温饱了。既有今日，何必当初？）家里这点子衣裳家伙，只好听凭嫂子去，那是没法儿的了。所有的家人婆子，瞧他们也没心在这里，该去的叫他们去。就可怜香菱苦了

一辈子，只好跟着妈妈过去。实在短什么，我要是有的，还可以拿些个来；料我们那个也没有不依的。就是袭姑娘也是心术正道的，他听见我哥哥的事，他到提起妈妈来就哭。我们那一个还道是没事的，所以不大着急；若听见了，也是要唬个半死儿的。』薛姨妈不等说完，便说：『好姑娘！你可别告诉他！他为一个林姑娘，几乎没要了命，如今才好了些。要是他急出个原故来，不但你添一层烦恼，我越发没了依靠了。』宝钗道：『我也是这么想，所以总没告诉他。』（这些对话，写得极好，与前四十回并无轩轾。）

正说着，只听见金桂跑来外间屋里哭喊道：『我的命是不要的了！男人呢，已经是没有活的分儿了。咱们如今索性闹一闹，大伙儿到法场上去拚一拚。』说着，便将头往隔断板上乱撞，撞的披头散发。（有些漫画化了。）气的薛姨妈白瞪着两只眼，一句话也说不出来。还亏得宝钗『嫂子』长、『嫂子』短，好一句、歹一句的劝他。金桂道：『姑奶奶！如今你是比不得头里的了。你两口儿好好的过日子，我是个单身人儿，要脸做什么！』说着，便要跑到街上回娘家去。亏得人还多，扯住了，又劝了半天方住。把个宝琴唬的再不敢见他。若是薛蝌在家，他便抹粉施脂，描眉画鬓，奇情异致的打扮收拾起来。不时打从薛蝌住房前过，或故意咳嗽一声，或明知薛蝌在屋，特问房里何人；有时遇见薛蝌，他便妖妖乔乔、娇娇痴痴的问问寒热，忽喜忽嗔。丫头们看见，都赶忙躲开。他自己也不觉得，只是一心一意要弄得薛蝌感情时，好行宝蟾之计。（毫无忌惮？可信吗？）那薛蝌却止躲着，有时遇见也不敢不周旋一二，只怕他撒泼放刁的意思。更加金桂一则为色迷心，越瞧越爱，越想越幻，那里还看得出薛蝌的真假来？只有一宗，他见薛蝌有什么东西都是托香菱收着，衣服缝洗，也是香菱；两个人偶然说话，他来了，

急忙散开，一发动了一个『醋』字。欲待发作薛蝌，却是舍不得，只得将一腔隐恨都搁在香菱身上。（香菱为人好，反而成了眼中钉。好人的存在客观上已经打击了坏人，故好人遭恨。）却又恐怕闹了香菱得罪了薛蝌，倒弄得隐忍不发。

一日，宝蟾走来，笑嘻嘻的向金桂道：『奶奶，看见了二爷没有？』金桂道：『没有。』宝蟾笑道：『我说二爷的那种假正经是信不得的。咱们前日送了酒去，他说不会喝，刚才我见他到太太那屋里去，那脸上红扑扑儿的一脸酒气。奶奶不信，回来只在咱们院门口等他。他打那边过来时，奶奶叫住他问问，看他说什么。』金桂听了，一心的怒气，便道：『他那里就出来了呢？他既无情义，问他作什么？』宝蟾道：『奶奶又迂了。他好说，咱们也好说；他不好说，咱们再另打主意。』金桂听着有理，因叫宝蟾：『瞧着他，看他出去了。』宝蟾答应着出来，金桂却去打开镜奁，又照了一照，把嘴唇儿又抹了一抹，然后拿一条洒花绢子，才要出来，又似忘了什么的，心里倒不知怎么是好了。只听宝蟾外面说道：『二爷，今日高兴啊！那里喝了酒来了？』金桂听了，明知是叫他出来的意思，连忙掀起帘子出来。只见薛蝌和宝蟾说道：『今日是张大爷的好日子，所以被他们强不过，吃了半钟。到这时候脸还发烧呢。』一句话没说完，金桂早接口道：『自然人家外人的酒比咱们自己家里的酒是有趣儿的。』（金桂亦甚善于辞令，歪着邪着出来，更具艺术效果。）薛蝌被他拿话一激，脸越红了，连忙走过来陪笑道：『嫂子说那里的话？』宝蟾见他二人交谈，便躲到屋里去了。这金桂初时原要假意发作薛蝌两句，无奈一见他两颊微红，双眸带涩，别有一种谨愿可怜之意，早把自己那骄悍之气，感化到爪洼国去了，因笑说道：『这么说，你的酒是硬强着才肯喝的呢。』薛蝌道：『我那里喝得来？』金桂道：『不喝也好，强如像你哥哥喝出乱子来，明儿娶了你们奶奶儿，

像我这样守活寡受孤单呢！』说到这里，两个眼已经也斜了，两腮上也觉红晕了。薛蝌见这话越发邪僻了，打算着要走。金桂也看出来了，那里容得，早已走过来一把拉住。薛蝌急了道：『嫂子，放尊重些。』说着，浑身乱颤。金桂索性老着脸道：『你只管进来，我和你说一句要紧的话。』正闹着，忽听背后一个人叫道：『奶奶！香菱来了。』把金桂唬了一跳。回头瞧时，却是宝蟾掀着帘子看他二人的光景，一抬头见香菱从那边来了，赶忙知会金桂。金桂这一惊不小，手已松了。薛蝌得便脱身跑了。那香菱正走着，原不理会，忽听宝蟾一嚷，才瞧见金桂在那里拉住薛蝌，往里死拽。香菱却唬的心头乱跳，自己连忙转身回去。（『红』中的防淫反淫，是防了晴雯，反了司棋，而对于金桂、宝蟾，人们一筹莫展。）这里金桂早已连吓带气，呆呆的瞅着薛蝌去了，怔了半天，恨了一声，自己扫兴归房。从此把香菱恨入骨髓。那香菱本是要到宝琴那里，刚走出腰门，看见这般，吓回去了。（是八十回『美香菱屈受贪夫棒』故事的变奏。）

是日，宝钗在贾母屋里，听得王夫人告诉老太太要聘探春一事。贾母说道：『既是同乡的人，很好。只是听见说那孩子到过我们家里，怎么你老爷没有提起？』王夫人道：『连我们也不知道。』贾母道：『好便好，但是道儿太远。虽然老爷在那里，倘或将来老爷调任，可不是我们孩子太单了吗？』王夫人道：『两家都是做官的，也是拿不定。或者那边还调进来；即不然，终有个叶落归根。况且老爷既在那里做官，上司已经说了，好意思不给么？想来老爷的主意定了，只是不敢做主，故遣人来回老太太的。』贾母道：『你们愿意更好，但是三丫头这一去了，不知三年两年那边可能回家？若再迟了，恐怕我赶不上再见他一面了！』（这倒是老年人难免的心理。）说着，

掉下泪来。王夫人道：『孩子们大了，少不得总要给人家的。就是本乡本土的人，除非不做官还使得，若是做官的，谁保得住总在一处？只要孩子们有造化就好。譬如迎姑娘倒配得近呢，偏是时常听见他被女婿打闹，甚至不给饭吃。就是我们送了东西去，他也摸不着。近来听见益发不好了，也不放他回来。两口子拌起来，就说咱们使了他家的银钱。可怜这孩子总不得个出头的日子！（写到金桂，便又写到迎春，恰成对比。）前儿我惦记他，打发人去瞧他，迎了头藏在耳房里，不肯出来。老婆子们必要进去，看见我们姑娘这样冷天还穿着几件旧衣裳。他一包眼泪的告诉婆子们说：「回去别说我这么苦，这也是命里所招！也不用送什么衣服东西来，不但摸不着，反要添一顿打，说是我告诉的。」老太太想想，这倒是近处眼见的，若不好，更难受。到亏了大太太也不理会他，大老爷也不出个头。如今迎姑娘实在比我们三等使唤的丫头还不如。我想探丫头虽不是我养的，老爷既看见过女婿，定然是好才许的。只请老太太示下，择个好日子，多派几个人，送到他老爷任上。该怎么着，老爷也不肯将就。』（啰啰嗦嗦，平平淡淡。）贾母道：『有他老子作主，你就料理妥当，拣个长行的日子送去，也就定了一件事。』王夫人答应着『是』。宝钗听得明白，也不敢则声，只是心里叫苦：『我们家里姑娘们就算他是个尖儿，如今又要远嫁，眼看着这里的人一天少似一天了。』见王夫人起身告辞出去，他也送了出来，一径回到自己房中，并不与宝玉说知。见袭人独自一个做活，便将听见的话说了。袭人也狠不受用。

却说赵姨娘听见探春这事，反欢喜起来，心里说道：『我这个丫头，在家忒瞧不起我，我何从还是个娘？比他的丫头还不济！况且洑上水，护着别人。他挡在头里，连环儿也不得出头。如今老爷接了去，我倒干净。想要

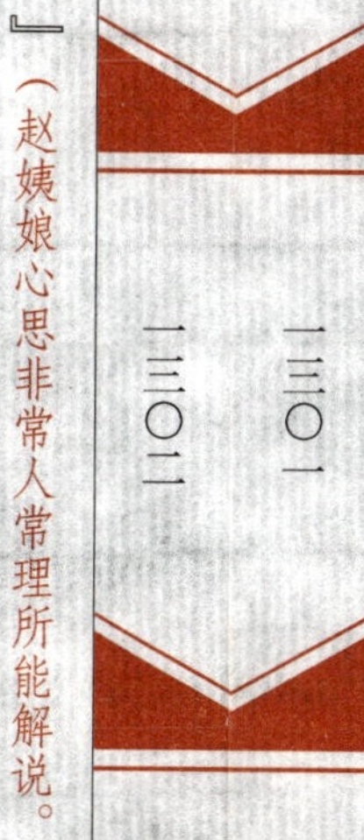

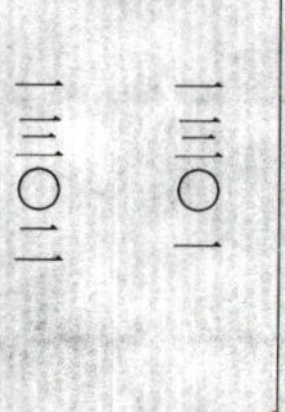

他孝敬我，不能彀了。只愿意他像迎丫头似的，我也称称愿。』（赵姨娘心思非常人常理所能解说。）一面想着，一面跑到探春那边与他道喜，说：『姑娘，你是要高飞的人了。到了姑爷那边，自然比家里还好，想来你也是愿意的。便是养了你一场，并没有借你的光儿。就是我有七分不好，也有三分的好，总不要一去了把我搁在脑杓子后头。』探春听着毫无道理，只低头作活，一句也不言语。赵姨娘见他不理，气忿忿的自己去了。（母与女的文化冲突。）

这里探春又气，又笑，又伤心，也不过自己掉泪而已。坐了一回，闷闷的走到宝玉这边来。宝玉因问道：『三妹妹，我听见林妹妹死的时候，你在那里来着。我还听见说，林妹妹死的时候，远远的有音乐之声。或者他是有来历的，也未可知。』探春笑道：『那是你心里想着罢了。只是那夜却怪，不似人家鼓乐之音，你的话或者也是。』宝玉听了，更以为实。又想前日自己神魂飘荡之时，曾见一人，说是黛玉生不同人，死不同鬼，必是那里的仙子临凡。忽又想起那年唱戏做的嫦娥，飘飘艳艳，何等风致。（还是祭晴雯的路子。）过了一回，探春去了，因必要紫鹃过来，立刻回了贾母去叫他。

无奈紫鹃心里不愿意，虽经贾母王夫人派了过来，也就没法，只是在宝玉跟前，不是嗳声，就是叹气的。宝玉背地里拉着他，低声下气，要问黛玉的话，紫鹃从没好话回答。宝钗倒背地里夸他有忠心，并不嗔怪他。那雪雁虽是宝玉娶亲这夜出过力的，宝钗见他心地不甚明白，便回了贾母王夫人，将他配了一个小厮，各自过活去了。王奶妈，养着他将来好送黛玉的灵柩回南。鹦哥等小丫头，仍伏侍了老太太。

宝玉本想念黛玉，因此及彼，又想跟黛玉的人已经云散，更加纳闷。闷到无可如何，忽又想黛玉死得这样清楚，

必是离凡返仙去了，反又欢喜。忽然听见袭人和宝钗那里讲究探春出嫁之事，宝玉听了，『啊呀』的一声，哭倒在炕上。唬得宝钗袭人都来扶起，说：『怎么了？』宝玉早哭的说不出来，定了一回子神，说道：『这日子过不得了！我姊妹们都一个一个的散了！林妹妹是成了仙去了。大姐姐呢，已经死了，这也罢了，没天天在一块。二姐姐呢，碰着了一个混账不堪的东西。三妹妹又要远嫁，总不得见的了。史妹妹又不知要到那里去？薛妹妹是有了人家的。这些姐姐妹妹，难道一个都不留在家里，单留我做什么？』（也是分久必合，合久必分。岂能长聚不散？）袭人忙又拿话解劝。宝钗摆着手说：『你不用劝他，让我来问他。』因问着宝玉道：『据你的心里，要这些姐妹都在家里陪到你老了，都不要为终身的事吗？若说别人，或者还有别的想头。你自己的姐姐妹妹，不用说没有远嫁的；就是有，老爷作主，你有什么法儿？打量天下独是你一个人爱姐姐妹妹呢？若是都像你，就连我也不能陪你了。大凡人念书，原为的是明理，怎么你益发糊涂了？（读书明理的命题在我国传统文化中本很重要，由宝钗宣讲，反而令人叹息。）这么说起来，我同袭姑娘各自一边儿去，让你把姐姐妹妹们都邀了来守着你。』（前八十回宝钗虽然正统，但不会如此平庸，她总该讲得更高超些。）宝玉听了，两只手拉住宝钗袭人道：『我也知道。为什么散的这么早呢？等我化了灰的时候再散也不迟。』袭人掩着他的嘴道：『又胡说！才这两天身上好些，二奶奶才吃些饭。若是你又闹翻了，我也不管了。』宝玉慢慢的听他两个人说话都有道理，只是心上不知道怎样才好，只得强说道：『我却明白，但只是心里闹得慌。』宝钗也不理他，暗叫袭人快把定心丸给他吃了，慢慢的开导他。袭人便欲告诉探春，说临行不必来辞。宝钗道：『这怕什么？等消停几日，待他心里明白，还要叫他们多说句话儿呢。况且三姑娘是极明白的人，不像

那些假惺惺的人，少不得有一番箴谏，他已后便不是这样了。』正说着，贾母那边打发过鸳鸯来说：『知道宝玉旧病又发，叫袭人劝说安慰，叫他不要胡思乱想。』袭人等应了。鸳鸯坐了一会子去了。

那贾母又想起探春远行，虽不备妆奁，其一应动用之物，俱该预备，便把凤姐叫来，将老爷的主意告诉了一遍，即叫他料理去。凤姐答应。不知怎么办理，下回分解。

年轻的兄弟姊妹亲戚，各奔前程，各自婚配，本是好事。可惜，前程不利，婚配不佳，长大的结果是痛苦，便误以为小儿女时期最好。何况死的死，病的病，一片生离死别的凋零景象。宝玉的悲哀并不稀奇。谁没有过这样的悲哀？不过宝玉更敏感，更不能控制分寸就是了。

这一回写得相当无趣。是续作也是全书最差的段落之一。

也是秦氏的名言：树倒猢狲散。

第一百一回　大观园月夜感幽魂　散花寺神签惊异兆

却说凤姐回至房中，见贾琏尚未回来，便分派那管办探春行妆奁事的一干人。那天已有黄昏以后，因忽然想起探春来，要瞧瞧他去，便叫丰儿与两个丫头跟着，头里一个丫头打着灯笼。走出门来，见月光已上，照耀如水，凤姐便命：『打灯笼的回去罢。』因而走至茶房窗下，听见里面有人唧唧喳喳的，又似哭，又似笑，又似议论什么的。凤姐知道不过是家下婆子们，又不知搬什么是非，心内大不受用，便命小红：『进去装做无心的样子，细细打听着，用话套出原委来。』（多余。）小红答应着去了。

凤姐只带着丰儿来至园门前，门尚未关，只虚虚的掩着。于是主仆二人方推门进去，只见园中月色比着外面更觉明朗，满地下重重树影，杳无人声，甚是凄凉寂静。刚欲往秋爽斋这条路来，只听『嗚嗚』的一声风过，吹的那树枝上落叶，满园中『唰喇喇』的作响，枝梢上『吱娄娄』的发哨，将那些寒鸦宿鸟都惊飞起来。凤姐吃了酒，被风一吹，只觉身上发噤起来。（第九十九回贾母刚刚与凤姐开过玩笑，立即应验，略急了些。）那丰儿后面也把头一缩，说：『好冷！』凤姐也掌不住，便叫丰儿：『快回去把那件银鼠坎肩儿拿来，我在三姑娘那里等着。』丰儿巴不得一声，也要回去穿衣裳来，答应了一声，回头就跑了。

凤姐刚举步走了不远，只觉身后『咈咈哧哧』，似有闻嗅之声，不觉头发森然竖了起来。由不得回头一看，只见黑油油一个东西在后面伸着鼻子闻他呢，那两只眼睛恰似灯光一般。凤姐吓的魂不附体，不觉失声的『咳』了一声，却是一只大狗。（这是实写。）那狗抽头回身，拖着个扫帚尾巴，一气跑上大土山上，方站住了，回身犹向凤姐拱爪儿。

凤姐儿此时心跳神移，急急的向秋爽斋来，将已来至门口，方转过山子，只见迎面有一个人影儿一恍。凤姐心中疑惑，心里想着必是那一房里的丫头，便问：『是谁？』问了两声，并没有人出来，已经吓得神魂飘荡，恍恍忽忽的似乎背后有人说道：『婶娘连我也不认得了？』凤姐忙回头一看，只见这人形容俊俏，衣履风流，十分眼熟，只是想不起是那房那屋里的媳妇来。（由实而虚，由真而幻。谁能不怕？）只听那人又说道：『婶娘只管享荣华、受富贵的心盛，把我那年说的「立万年永远之基」，都付于东洋大海了。』凤姐听说，低头寻思，总想不起。那

人冷笑道：『婶娘那时怎样疼我了，如今就忘在九霄云外了。』凤姐听了，此时方想起来是贾蓉的先妻秦氏，便说道：『嗳呀！你是死了的人哪，怎么跑到这里来了呢？』啐了一口，方转回身，脚下不防一块石头绊了一跤，犹如梦醒一般，浑身汗如雨下。（真真假假，终是自己吓了自己。写得倒是很像，并非『洒狗血』。）虽然毛发悚然，心中却也明白，只见小红丰儿影影绰绰的来了。凤姐恐怕落人的褒贬，连忙爬起来，说道：『你们做什么呢，去了这半天？快拿来我穿上罢。』一面丰儿走至跟前，伏侍穿上，小红过来搀扶凤姐。凤姐道：『我才到那里，他们都睡了，咱们回去罢。』一面说，一面带了两个丫头，急急忙忙回到家中。（迷信、邪祟来自幻觉，幻觉来自心理变态，故不经的内容常常是中式的心理描写、心理独白。）贾琏已回来了，只是见他脸上神色更变，不似往常，待要问他，又知他素日性格，不敢突然相问，只得睡了。

一切阴谋、强梁人物，多有内心虚弱一面。

至次日五更，贾琏就起来要往总理内庭都检点太监裘世安家来打听事务，因太早了，见桌上有昨日送来的抄报，便拿起来闲看。第一件是云南节度使王忠一本，新获了一起私带神枪火药出边事，共十八名人犯，头一名鲍音，口称系太师镇国公贾化家人。第二件苏州刺史李孝一本，参劾纵放家奴，倚势凌辱军民，以致因奸不遂，杀死节妇一家人命三口事。凶犯姓时，名福，自称系世袭三等职衔贾范家人。（到处都是坏消息，自远而近，坏消息围了上来。）贾琏看见这两件，心中早又不自在起来，待要看第三件，又恐迟了不能见裘世安的面，因此急急的穿了衣服，也等不得吃东西，恰好平儿端上茶来，喝了两口，便出来骑马走了。平儿在房内收拾换下的衣服。

此时凤姐尚未起来，平儿因说道：『今儿夜里我听着奶奶没睡什么觉，我这会子替奶奶捶着，好生打个盹儿罢。』凤姐半日不言语。（诸种压力、难题下，凤姐精神也开始崩溃了。）平儿料着这意思是了，便爬上炕来，坐在身边，轻轻的捶着。才捶了几拳，那凤姐刚有要睡之意，只听那边大姐儿哭了，凤姐又将眼睁开。平儿连向那边叫道：『李妈，你到底是怎么着？姐儿哭了，你到底拍着他些。你也忒爱睡了。』那边李妈从梦中惊醒，听得平儿如此说，心中没好气，只得狠命拍了几下，口里嘟嘟哝哝的骂道：『真真的小短命鬼儿！放着尸不挺，三更半夜嚎你娘的丧！』一面说，一面咬牙，便向那孩子身上拧了一把。（李妈按道理不该如此说。除非凤姐已经失势。既积怨，又失势，危险了！）那孩子『哇』的一声大哭起来。凤姐听见，说：『了不得！你听听，他该挫磨孩子了。你过去把那黑心的养汉老婆下死劲的打他几下子，把妞妞抱过来罢。』平儿笑道：『奶奶别生气，他那里敢挫磨妞儿？只怕是不堤防磞了一下子，也是有的。这会子打他几下子没要紧，明儿叫他们背地里嚼舌根，倒说三更半夜打人。』凤姐听了，半日不言语，长叹一声，说道：『你瞧瞧，这会子不是我十旺八旺的呢！明儿我要是死了，剩下这小孽障，还不知怎么样呢！』（这一类丧气话反映心情，又预见了真实。如果说『红』亦有教化、劝诫之旨，就在于提醒人们往丧气里想一想。）平儿笑道：『奶奶，这怎么说！大五更的，何苦来呢？』凤姐冷笑道：『你那里知道？我是早已明白了，我也不久了！虽然活了二十五岁，人家没见的也见了，没吃的也吃了，也算全了，所以世上有的也都有了，气也算赌尽了，强也算争足了；就是『寿』字儿上头缺一点儿，也罢了。』（颇有自知之明。）平儿听说，由不的滚下泪来。凤姐笑道：『你这会子不用假慈悲，我死了，你们只有欢喜的。你们一心一计和和气气的，省得我是你们眼里的刺是的。只有一件，你们知好歹，只疼我那孩子就是了。』平儿听说这话，越发哭的泪人是的。凤姐笑道：『别扯你娘的臊！那里就死了呢？哭的那么痛！我不死还叫你哭死了呢。』（这一点凤姐的冷冷热热怨怨的说法，很有情致，也很符合凤姐的性格，写得较有生气。）平儿听说，连忙止住哭，道：『奶奶说得这么伤心。』一面说，一面又捶，半日不言语，凤姐又蒙眬睡去。

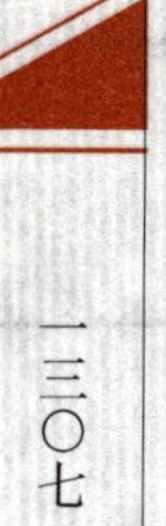

（说来都是偶然小事。但有一种整体的危机感，并非偶然。）

平儿方下炕来，要去，只听外面脚步响。谁知贾琏去迟了，那裘世安已经上朝去了，不遇而回，心中正没好气，进来就问平儿道：『那些人还没起来呢么？』平儿回说：『没有呢。』贾琏一路摔帘子进来，冷笑道：『好，好！这会子还都不起来，安心打擂台打撒手儿！』一叠声又要吃茶。平儿忙倒了一碗茶来。原来那些丫头老婆见贾琏出了门，又复睡了，不打谅这会子回来，原不曾预备，平儿便把温过的拿了来。贾琏生气，举起碗来，『哗啷』一声，摔了个粉碎。（贾琏主动发脾气，少有。）凤姐惊醒，唬了一身冷汗，『嗳哟』一声，睁开眼，只见贾琏气狠狠的坐在傍边，平儿弯着腰拾碗片子呢。凤姐道：『你怎么就回来了？』问了一声，半日不答应，只得又问一声。贾琏嚷道：『你不要我回来，叫我死在外头罢？』凤姐笑道：『这又是何苦来呢？常时我见你不像今儿回来的快，问你一声，也没什么生气的。』贾琏又嚷道：『又没遇见，怎么不快回来呢！』凤姐笑道：『没有遇见，少不得耐烦些，明儿再去早些儿，自然遇见了。』贾琏嚷道：『我可不「吃着自己的饭，替人家赶獐子」呢！我这里一大堆的事，没个动秤儿的，没来由，为人家的事，瞎闹了这些日子，当什么呢？正经那有事的人还在家里受用，死活不知，还听见说要锣鼓喧天的摆酒唱戏做生日呢。我可瞎跑他娘的腿子！』（完全生动口语，写来谈何容易？没有一点民粹主义的味儿，写不来的。）一面说，一面往地下啐了一口，又骂平儿。

凤姐很现实。她不相信神鬼，不相信仁义道德，也不相信甜言蜜语。赤裸裸的利害关系决定着她的行止，她也只从利害关系考虑一切直至自己的死。她不相信任何温情，包括平儿她也完全不相信。

凤姐听了，气的干咽，要和他分证，想了一想，又忍住了，勉强陪笑道：『何苦来生这么大气？大清早起，和我叫喊什么？谁叫你应了人家的事？你既应了，只得耐烦些，少不得替人家办办。也没见这个人自己有为难的事，还有心肠唱戏摆酒的闹。』（凤姐绝无低声下气地迁就贾琏的时候。此一时也，彼一时也。『时不利兮骓不驰，骓不驰兮可奈何？』）贾琏道：『你可说么！你明儿倒也问问他。』凤姐咤异道：『问谁？』贾琏道：『问谁！问你哥哥！』凤姐道：『是他吗？』贾琏道：『可不是他，还有谁呢？』凤姐忙问道：『他又有什么事，叫你替他跑？』贾琏道：『你还在坛子里呢。』（凤姐什么时候被装到坛子里过？）凤姐道：『真真这就奇了！我连一个字儿也不知道。』贾琏道：『你怎么能知道呢，这个事，连太太和姨太太还不知道呢。头一件，怕太太和姨太太不放心；二则你身上又常嚷不好，所以我在外头压住了，不叫里头知道的。说起来，真真可人恼！你今儿不问我，我也不便告诉你。你打谅你哥哥行事像个人呢，你知道外头人都叫他什么？』凤姐道：『叫他什么？』贾琏：『你叫他什么，叫他「忘仁」！』（为以后情节铺垫。）凤姐『扑哧』的一笑：『他可不叫王仁，叫什么呢？』贾琏道：『你打谅那个「王仁」吗？是忘了仁义礼智信的那个「忘仁」哪！』（贾家、薛家，情势都已不妙，如今借着贾琏之口，再说说王家的晦气。）凤姐道：『这是什么人这么刻薄嘴儿遭塌人。』贾琏道：『不是遭塌他吗！今儿索性告诉你，你也不知道知道你那哥哥的好处，到底知道他给他二叔做生日呵！』凤姐想了一想，道：『嗳哟！可是呵，我还忘了问你，二叔不是冬天的生日吗？我记得年年都是宝玉去。前者老爷升了，二叔那边送过戏来，我还偷偷儿的说：「二叔为人是最啬刻的，比不得大舅太爷。他们各自家里还乌眼鸡是的。不么，昨儿大舅太爷没了，你瞧他是个兄弟，他还出了个头儿揽了一事儿吗？」所以那一天说赶他的生日，咱们还他一班子戏，省了亲戚跟前落亏欠。如今这么早就做生日，也不知是什么意思。』（叙事太多，活气太少。）贾琏道：『你还作梦呢！他一到京，接着舅太爷的首尾就开了一个吊。他怕咱们知道拦他，所以没告诉咱们，弄了好几千银子。后来二舅嗔着他，说他不该一网打尽。他吃不住了，变了个法子，就指着你们二叔的生日撒了个网，想着再弄几个钱，好打点二舅太爷不生气。也不管亲戚朋友冬天夏天的，人家知道不知道，这么丢脸！你知道我起早为什么？这如今因海疆的事情，御史参了一本，说是大舅太爷的亏空，本员已故，应着落其弟王子胜、侄王仁赔补。爷儿两个急了，找了我给他们托人情。我见他们吓的那个样儿，再者，又关系太太和你，我才应了。想着找找总理内庭都检点老裘替办办，或者前任后任挪移挪移，偏又去晚了，他进里头去了。我白起来跑了一趟，他们家里还那里定戏摆酒呢！你说说，叫人生气不生气？』（揭露批判，并不手软。）

凤姐听了，才知王仁所行如此，但他素性要强护短，听贾琏如此说，便道：『凭他怎么样，到底是你的亲大舅儿。再者，这件事，死的大太爷，活的二叔，都感激你。罢了，没什么说的，我们家的事，少不得我低三下四的求你了，省了带累别人受气，背地里骂我！』（凤姐与贾琏夫妻间，也有恩爱，也有勾心斗角，也有互相迁怒。）说着，眼泪早下来了，

掀开被窝，一面坐起来，一面挽头发，一面披衣裳。贾琏道：『你倒不用这么着，是你哥哥不是人，我并没说你呀。况且我出去了，你身上又不好，我都起来了，他们还睡觉，咱们老辈子有这个规矩么？你如今作「好好先生」，不管事了。我说了一句，你就起来；明儿我要嫌这些人，难道你都替了他们么？好没意思啊！』（贾琏的埋怨中不无在凤姐面前报功的因素。）凤姐听了这些话，才把泪止住了，说道：『天呢不早了，我也该起来了。你有这么说的，你替他们家在心的办办，那就是你的情分了。再者，也不光为我，就是太太听见也喜欢。』贾琏道：『是了，知道了。「大萝卜还用屎浇」？』（贾琏的语言比前八十回生动。）平儿道：『奶奶这么早起来做什么？那一天奶奶不是起来有一定的时候儿呢。爷也不知是那里的邪火，拿着我们出气。何苦来呢！奶奶也算替爷挣够了，那一点儿不是奶奶挡头阵？不是我说，爷把现成儿的也不知吃了多少，这会子替奶奶办了一点子事，就关会着好几层儿呢，就这么拿糖作醋的起来，也不怕人家寒心。况且这也不单是奶奶的事呀！我们起迟了，原该爷生气，左右到底是奴才呀；奶奶跟前，尽着身子累的成了个病包儿了，这是何苦来呢！』说着，自己的眼圈儿也红了。那贾琏本是一肚子闷气，那里见得这一对娇妻美妾，又尖利又柔情的话呢？便笑道：『够了，算了罢！他一个人就够使的了，不用你帮着。左右我是外人，多早晚我死了，你们就清净了。』凤姐道：『你也别说那个话，谁知道谁怎么样呢？你不死，我还死呢！早死一天早心净。』（凤姐、平儿、贾琏的三重唱不错。）说着，又哭起来。平儿只得又劝了一回。

那时天已大亮，日影横窗，贾琏也不便再说，站起来出去了。这里凤姐自己起来，正在梳洗，忽见王夫人那边小丫头过来道：『太太说了，叫问二奶奶今日过太舅爷那边去不去？要去，说叫二奶奶同着宝二奶奶一路去呢。』

凤姐因方才一段话已经灰心丧意，恨娘家不给争气；又兼昨夜园中受了那一惊，也实在没精神，便说道：『你先回太太去，我还有一两件事没办清，今日不能去；况且他们那又不是什么正经事。宝二奶奶要去，各自去罢。』小丫头答应着回去回复了，不在话下。

且说凤姐梳了头，换了衣服，想了想，虽然自己不去，也该带个信儿；再者，宝钗还是新媳妇出门子，自然要过去照应照应的。于是见过王夫人，支吾了一件事，便过来到宝玉房中。只见宝玉穿着衣服，歪在炕上，两个眼睛呆呆的看宝钗梳头。（看梳头一节，有点新婚味道。）凤姐站在门口，还是宝钗一回头看见了，连忙起身让坐。宝玉也爬起来，凤姐才笑嘻嘻的坐下。宝钗因说麝月道：『你们瞧着二奶奶进来，也不言语声儿。』麝月笑着道：『二奶奶头里进来就摆手儿不叫言语么。』凤姐因向宝玉道：『你还不走，等什么呢？没见这么大人了，还是这么小孩子气的。人家各自梳头，你爬在傍边看什么？成日家一块子在屋里，还看不够？也不怕丫头们笑话？』说着，『哧』的一笑，又瞅着他咂嘴儿。宝玉虽也有些不好意思，还不理会。把个宝钗直臊的满脸飞红，又不好听着，又不好说什么。只见袭人端过茶来，只得搭赸着，自己递了一袋烟。凤姐儿笑着站起来接了，道：『二妹妹，你别管我们的事，你快穿衣服罢。』

宝玉一面也搭赸着，找这个，弄那个，凤姐道：『你先去罢，那里有个爷们等着奶奶们一块儿走的理呢？』宝玉道：『我只是嫌我这衣裳不大好，不如前年穿着老太太给的那件「雀金呢」好。』凤姐因怄他道：『你为什么不穿？』宝玉道：『穿着太早些。』凤姐忽然想起，自悔失言。幸亏宝钗也和王家是内亲，只是那些丫头们跟前，已经不好意思了。袭人却接着说道：『二奶奶还不知道呢，就是穿得，他也不穿了。』凤姐儿道：『这是什么原故？』袭人道：『告诉二奶奶，真真是我们这位爷的行事都是天外飞来的。那一年因二舅太爷的生日，老太太给了他这件衣裳，谁知那一天就烧了。我妈病重了，我没在家。那时候还有晴雯妹妹呢，听见说，病着整给他缝了一夜，第二天，老太太才没瞧出来呢。（又复习一遍。）去年那一天，上学天冷，我叫焙茗拿了去给他披披，谁知这位爷见了这件衣裳，想起晴雯来了，说了总不穿了，叫我给他收一辈子呢。』（这些地方都拖拖沓沓，啰啰嗦嗦。）凤姐不等说完，便道：『你提晴雯，可惜了儿的！那孩子模样儿手儿都好，就只嘴头子利害些。偏偏儿的太太不知听了那里的谣言，活活儿的把个小命儿要了。（说明凤姐不赞成王夫人的做法。有微词。）还有一件事，那一天，我瞧见厨房里柳家的女人，他女孩儿叫什么五儿，那丫头长的和晴雯脱了个影儿是的。我心里要叫他进来，后来我问他妈，他妈说是很愿意。我想着宝二爷屋里的小红跟了我去，我还没还他呢，就把五儿补过来。平儿说：「太太那一天说了，凡像那个样儿的都不叫派到宝二爷屋里呢。」我所以也就搁下了。这如今宝二爷也成了家了，还怕什么呢？不如我就叫他进来。可不知宝二爷愿意不愿意？要想着晴雯，只瞧见这五儿就是了。』（五儿一节虽嫌啰嗦，但还贴谱，也说明抄检大观园一事的影响如何不绝。）宝玉本要走，听见这些话已呆了。袭人道：『为什么不愿意？早就要弄了来的，只是因为太太的话说的结实罢了。』（太太的精神是除美灭美、反美防美。）凤姐道：『那么着，明儿我就叫他进来。太太的跟前有我呢。』宝玉听了，喜不自胜，才走到贾母那边去了。这里宝钗穿衣服。

凤姐儿看他两口儿这般恩爱缠绵，想起贾琏方才那种光景，好不伤心，（凤姐能羡慕宝玉这样的夫君吗？令人困惑。）

坐不住，便起身向宝钗笑道：『我和你向太太屋里去罢。』笑着出了房门，一同来见贾母。宝玉正在那里回贾母往舅舅家去。贾母点头说道：『去罢，只是少吃酒，早些回来，你身子才好些。』宝玉答应着出来，刚走到院内，又转身回来，向宝钗耳边说了几句不知什么。宝钗笑道：『是了，你快去罢。』将宝玉催着去了。这贾母和凤姐宝钗说了没三句话，只见秋纹进来传说：『二爷打发焙茗转来说，请二奶奶。』宝钗说道：『他又忘了什么，又叫他回来？』秋纹道：『我叫小丫头问了焙茗，说是「二爷忘了一句话，二爷叫我回来告诉二奶奶：若是去呢，快些来罢；若不去呢，别在风地里站着」。』（这样侧面写『金玉良缘』的发展变化，笔法尚属游刃有余。）说的贾母凤姐并地下站着的众老婆子丫头都笑了。宝钗飞红了脸，把秋纹啐了一口，说道：『好个糊涂东西！这也值得这样慌慌张张跑了来说？』秋纹也笑着回去叫小丫头去骂焙茗。那焙茗一面跑着，一面回头说道：『二爷把我巴巴的叫下马来，叫回来说的；我若不说，回来对出来，又骂我了。这会子说了，他们又骂我。』那丫头笑着跑回来说了。贾母向宝钗道：『你去罢，省的他这么记挂。』说的宝钗站不住，才走了，又被凤姐怄着玩笑，没好意思。

只见散花寺的姑子大了来了，给贾母请安，见过了凤姐，坐着吃茶。贾母因问他：『这一向怎么不来？』大了道：『因这几日庙中作好事，有几位诰命夫人不时在庙里起坐，所以不得空儿来。今日特来回老祖宗：明儿还有一家作好事，不知老祖宗高兴不高兴？若高兴，也去随喜随喜。』贾母便问：『做什么好事？』大了道：『前月为王大人府里不干净，见神见鬼的，偏生那太太夜间又看见去世的老爷。因此，昨日在我庙里告诉我，要在散花菩萨跟前许愿烧香，做四十九天的水陆道场，保佑家口安宁，亡者升天，生者获福。（用某种仪式调整自己的心态，

自古已然。）所以我不得空儿来请老太太的安。』

却说凤姐素日最厌恶这些事的，自从昨夜见鬼，心中总只是疑疑惑惑的，如今听了大了这些话，不觉把素日的心性改了一半，已有三分信意，（上升时期倾向于自信。下降时期倾向于迷信。）便问大了道：『这散花菩萨是谁？他怎么就能避邪除鬼呢？』大了见问，便知他有些信意，便说道：『奶奶今日问我，让我告诉奶奶知道：这个散花菩萨，来历根基不浅，道行非常。生在西天大树园中，父母打柴为生。养下菩萨来，头长三角，眼横四目，身长三尺，两手拖地。父母说这是妖精，便弃在冰山之后了。谁知这山上有一个得道的老猢狲出来打食，看见菩萨顶上白气冲天，虎狼远避，知道来历非常，便抱回洞中抚养。谁知菩萨带了来的聪慧，禅也会谈，与猢狲天天谈道参禅，说的天花散漫缤纷。至一千年后飞升了。至今山上犹见谈经之处，天花散漫，所求必灵，时常显圣，救人苦厄。因此世人才盖了庙，塑了像供奉。』（迷信中又有民间文学。散花菩萨也像民间自发创造的神。怪、力、乱、神。）凤姐道：『这有什么凭据呢？』大了道：『奶奶又来搬驳了。一个佛爷可有什么凭据呢？就是撒谎，也不过哄一两个人罢咧，难道古往今来多少明白人都被他哄了不成？（众人相信就是凭据。众人相信就是力量。）奶奶只想，惟有佛家香火历来不绝，他到底是祝国裕民，有些灵验，人才信服。』凤姐听了，大有道理，因道：『既这么，我明儿去试试。你庙里可有签？我去求一求。我心里的事，签上批的出？批的出来，我从此就信了。』（信则有，不信则无。信则表达自己的信，向所信表达自己的祈求与愿望，壮自己的胆子。）大了道：『我们的签最是灵的，明儿奶奶去求一签就知道了。』贾母道：『既这么着，索性等到后日初一，你再去求。』说着，大了吃了茶，到王夫人各房里去请了安，回去不提。

这里凤姐勉强扎挣着，到了初一清早，令人预备了车马，带着平儿并许多奴仆，来至散花寺。大了带了众姑子接了进去，献茶后，便洗手至大殿上焚香。那凤姐儿也无心瞻仰圣像，一秉虔诚，磕了头，举起签筒，默默的将那见鬼之事并身体不安等故，祝告了一回，才摇了三下，只听『唰』的一声，筒中撺出一支签来。于是叩头，拾起一看，只见写着『第三十三签，上上大吉』。（要显灵了。）大了忙查签簿看时，只见上面写着：『王熙凤衣锦还乡。』凤姐一见这几个字，吃一大惊，惊问大了道：『古人也有叫王熙凤的么？』大了笑道：『奶奶最是通今博古的，难道汉朝的王熙凤求官的这一段事也不晓得？』周瑞家的在旁笑道：『前年李先儿还说这一回书的。我们还告诉他重着奶奶的名字，不要叫呢。』（又是复习前事。扣上王熙凤的命名，也算有个交代。）凤姐笑道：『可是呢，我倒忘了。』说着，又瞧底下的，写的是：

去国离乡二十年，于今衣锦返家园。蜂采百花成蜜后，为谁辛苦为谁甜？

行人至。音信迟。讼宜和。婚再议。

看完也不甚明白。大了道：『奶奶大喜，这一签巧得很。奶奶自幼在这里长大，何曾回南京去了？如今老爷放了外任，或者接家眷来，顺便还家，奶奶可不是「衣锦还乡」了？』一面说，一面抄了个签经交与丫头。凤姐也半疑半信的。大了摆了斋来，凤姐只动了一动，放下了要走，又给了香银。大了苦留不住，只得让他走了。凤姐回至家中，见了贾母王夫人等，问起签来，命人一解，（谁解天机？）都欢喜非常：『或者老爷果有此心，咱们走一趟也好！』凤姐儿见人人这么说，也就信了，不在话下。

却说宝玉这一日正睡午觉，醒来不见宝钗，正要问时，只见宝钗进来。宝玉问道：『那里去了，半日不见？』宝钗笑道：『我给凤姐姐瞧一回签。』宝玉听说，便问是怎么样的。宝钗把签帖念了一回，又道：『家中人人都说好的，据我看，这「衣锦还乡」四字里头，还有原故。后来再瞧罢了。』（事事冷静过人。）宝玉道：『你又多疑了，妄解圣意。「衣锦还乡」四字，从古至今都知道是好的，今儿你又偏生看出缘故来了。依你说，这「衣锦还乡」还有什么别的解说？』宝钗正要解说，只见王夫人那边打发丫头过来请二奶奶，宝钗立刻过去。未知何事，下回分解。

感幽魂，惊异兆，愈发地不祥了。尽管求签之类的描写格调不高，但反映了凤姐——这一贾府的铁腕人物、贾府的运转中枢的内心的恐惧与空虚。女强人的内心也惶惶然不可终日了，何等可悲可叹！

月夜幽魂，神签异兆，迁物移情地写起来比直接写人的心理更可读可信可感。

第一百二回　宁国府骨肉病灾祲　大观园符水驱妖孽

话说王夫人打发人来唤宝钗，宝钗连忙过来请了安。王夫人道：『你三妹妹如今要出嫁了，只得你们作嫂子的大家开导开导他，也是你们姊妹之情。况且他也是个明白孩子，我看你们两个也很合的来。只是我听见说，宝玉听见他三妹妹出门子，哭的了不的。你也该劝劝他。如今我的身子是十病九痛的，你二嫂子也是三日好两日不好。你还心地明白些，诸事也别说只管吞着，不肯得罪人。将来这一番家事，都是你的担子。』（过场废话。）宝钗答应着。王夫人又说道：『还有一件事，你二嫂子昨儿带了柳家媳妇的丫头来，说补在你们屋里。』宝钗道：『今

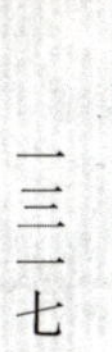

日平儿才带过来，说是太太和二奶奶的主意。』王夫人道：『是呦，你二嫂子和我说，我想也没要紧，不便驳他的回。只是一件，我见那孩子眉眼儿上头也不是个很安顿的。起先为宝玉房里的丫头狐狸是的，我撵了几个，那时候你也知道，不然你怎么搬回家去了呢。如今有你，自然不比先前了。我告诉你，不过留点神儿就是了。你们屋里，就是袭人那孩子还可以使得。』（也都是重复已有的东西，没有信息量。）宝钗答应了，又说了几句话，便过来了。饭后到了探春那边，自有一番殷勤劝慰之言，不必细说。

次日，探春将要起身，又来辞宝玉。宝玉自然难割难分。探春便将纲常大体的话说的宝玉始而低头不语，后来转悲作喜，似有醒悟之意。于是探春放心辞别众人，竟上轿登程，水舟陆车而去。（探春毫无惜别之情？可疑。这里依『红』风格似应有点赠别诗词。）

先前众姊妹们都住在大观园中，后来贾妃薨后，也不修葺。到了宝玉娶亲，林黛玉一死，史湘云回去，宝琴在家住着，园中人少，况兼天气寒冷，李纨姊妹、探春、惜春等俱挪回旧所。到了花朝月夕，依旧相约玩耍。如今探春一去，宝玉病后不出屋门，益发没有高兴的人了。所以园中寂寞，只有几家看园的人住着。（人去人亡，人事全非，园何以堪？）那日，尤氏过来送探春起身，因天晚省得套车，便从前年在园里开通宁府的那个便门里走过去了，觉得凄凉满目，台榭依然，女墙一带都种作园地一般，心中怅然如有所失。（尤氏亦怅然如有所失么？她没有怎么与众女孩子一起活动呀。）因到家中，便有些身上发热，扎挣一两天，竟躺倒了。日间的发烧犹可，夜里身热异常，便谵语绵绵。贾珍连忙请了大夫看视，说感冒起的，如今缠经入了足阳明胃经，所以谵语不清，如有所见，有了大秽，

即可身安。

尤氏服了两剂，并不稍减，更加发起狂来。（『红』中的病，都是找重要人物，如黛玉、凤姐、宝玉、晴雯、元妃等，如今轮到尤氏病了，似是重视到尤氏头上了，但后果却极低俗。）贾珍着急，便叫贾蓉来：『打听外头有好医生，再请几位来瞧瞧。』贾蓉回道：『前儿这位太医是最兴时的了，只怕我母亲的病不是药治得好的。』贾珍道：『胡说！不吃药，难道由他去罢？』贾蓉道：『不是说不治，为的是前日母亲往西府去，回来是穿着园子里走来家的。一到家，就身上发烧，别是撞客着了罢。（怪力乱神，愈说愈有，不一而足。）外头有个毛半仙，是南方人，卦起的很灵，不如请他来占卦占卦。看有信儿呢，就依着他；要是不中用，再请别的好大夫来。』贾珍听了，即刻叫人请来，坐在书房内喝了茶，便说：『府上叫我，不知占什么事？』贾蓉道：『家母有病，请教一卦。』毛半仙道：『既如此，取净水洗手，设下香案，让我起出一课来看就是了。』一时，下人安排定了，他便怀里掏出卦筒来，走到上头，恭恭敬敬的作了一个揖，手内摇着卦筒，口里念道：『伏以太极两仪，絪缊交感，图书出而变化不穷，神圣作而诚求必应。兹有信官贾某，为因母病，虔请伏羲、文王、周公、孔子四大圣人，鉴临在上，诚感则灵，有凶报凶，有吉报吉。先请内象三爻。』（这也是当时的学问，难为续作者了。）说着，将筒内的钱倒在盘内，说：『有灵的，头一爻就是「交」。』拿起来又摇了一摇，倒出来，说是『单』。第三爻又是『交』。检起钱来，嘴里说是：『内爻已示，更请外象三爻，完成一卦。』起出来，是『单拆单』。那毛半仙收了卦筒和铜钱，便坐下问道：『请坐，请坐，让我来细细的看看。这个卦乃是「未济」之卦。世爻是第三爻，午火兄弟劫财，晦气是一定该有的。

如今尊驾为母问病，用神是初爻，真是父母爻动出官鬼来。五爻上又有一层官鬼。（乌烟瘴气，大洒狗血，却也是人生，也是中华文化。）我看令堂太夫人的病是不轻的。还好，还好，如今子亥之水休囚，寅木动而生火。世爻上动出一个子孙来，倒是克鬼的。况且日月生身，再隔两日，子水官鬼落空，交到戌日就好了。但是父母爻上变鬼，恐怕令尊大人也有些关碍。就是本身世爻，比劫过重，到了水旺土衰的日子，也不好。』（这种卦的特点是两面话都说着，亦凶亦吉，亦逆亦顺，这样的卦才站得住，但也符合现实规律。续作对之是有批判的。）说完了，便撅着胡子坐着。

贾蓉起先听他捣鬼，心里忍不住要笑；听他讲的卦理明白，又说生怕父亲也不好，便说道：『卦是极高明的，但不知我母亲到底是什么病？』毛半仙道：『据这卦上，世爻午火变水相克，必是寒火凝结。若要断得清楚，揲蓍也不大明白，除非用「大六壬」才断的准。』贾蓉道：『先生都高明的么？』毛半仙道：『知道些。』贾蓉便要请教，报了一个时辰。毛先生便画了盘子，将神将排定算去，是戌上白虎，『这课叫做「魄化课」。大凡白虎乃是凶将，乘旺象气受制，便不能为害。如今乘着死神死煞，及时令囚死，则为饿虎，定是伤人。就如魄神受惊消散，故名「魄化」。这课象说是人身丧鬼，忧患相仍，病多丧死，讼有忧惊。按象有日墓虎临，必定是傍晚得病的。象内说：「凡占此课，必定旧宅有伏虎作怪，或有形响。」如今尊驾为大人而占，正合着虎在阳忧男，在阴忧女。此课十分凶险呢。』贾蓉没有听完，唬得面上失色道：『先生说得很是。但与那卦又不大相合，到底有妨碍么？』毛半仙道：『你不用慌，待我慢慢的再看。』低着头又咕哝了一会子，便说：『好了，有救星了！算出巳上有贵神救解，谓之「魄化魂归」。先忧后喜，是不妨事的；只要小心些就是了。』（既要唬住，又要给甜头，方能控制『客户』。）

贾蓉奉上卦金，送了出去，回禀贾珍，说是：『母亲的病，是在旧宅傍晚得的，为撞着什么「伏尸白虎」。』贾珍道：『你说你母亲前日从园里走回来的，可不是那里撞着的。你还记得你二婶娘到园里去，回来就病了？他虽没有见什么，后来那些丫头老婆们，都说是山子上一个毛烘烘的东西，眼睛有灯笼大，还会说话，把他二奶奶赶了回来，唬出一场病来。』（一百零一回的『一只大狗』，到了这里就变成妖魔鬼怪了。真是心魔腹鬼。）贾蓉道：『怎么不记得！我还听见宝二叔家的焙茗说，晴雯做了园里芙蓉花的神了；林姑娘死了，半空里有音乐，必定他也是管什么花儿了。想这许多妖怪在园里，还了得！头里人多阳气重，常来常往不打紧；如今冷落的时候，母亲打那里走，还不知踹了什么花儿呢，不然，就是撞着那一个。那卦也还算是准的。』（贾府诸人，都有些亏心。）贾珍道：『到底说有妨碍没有呢？』贾蓉道：『据他说，到了戌日就好了。只愿早两天好，或除两天才好。』贾珍道：『这又是什么意思？』贾蓉道：『那先生若是这样准，生怕老爷也有些不自在。』

正说着，里头喊说：『奶奶要坐起到那边园里去，丫头们都按捺不住。』贾珍等进去安慰定了，只闻尤氏嘴里乱说：『穿红的来叫我，穿绿的来赶我！』（这里的人们，特别是女人，常犯精神病。）地下这些人又怕又好笑。贾珍便命人买些纸钱，送到园里烧化。果然那夜出了汗，便安静些。到了戌日，也就渐渐的好起来。

由是，一人传十，十人传百，都说大观园中有了妖怪，唬得那些看园的人也不修花补树，灌溉果蔬。起先晚上不敢行走，以致鸟兽逼人，甚至日里也是约伴持械而行。过了些时，果然贾珍也病，竟不请医调治，轻则到园

化纸许愿，重则详星拜斗。贾珍方好，贾蓉等相继而病。如此接连数月，闹的两府俱怕。从此风声鹤唳，草木皆妖。（群魔乱舞。如此传说，也是败象，叫做事出有因。）园中出息一概全蠲，各房月例重新添起，反弄的荣府中更加拮据。（探春『改革』，至此以失败而彻底结束。盖一个以超经济的压迫剥削为特色的社会，一切经济杠杆，都是不可靠的。）那些看园的没有了想头，个个要离此处，每每造言生事，便将花妖树怪编派起来，各要搬出，将园门封固，再无人敢到园中。以致崇楼高阁，琼馆瑶台，皆为禽兽所栖。（气数既尽，楼阁更荒。）

想修园子时是何等富贵荣华，集天下美景，万物皆备于斯；园子起用时，庆寿宴请唱戏吟诗，集中了人间一切幸福；曾几何时，垮成了这个样子。人事已非，园子变成了鬼鬼妖妖的凶宅凶地！月有阴晴圆缺，人有吉凶祸福，本无足奇，奇其速也。

却说晴雯的表兄吴贵正住在园门口。他媳妇自从晴雯死后，听见说作了花神，每日晚间便不敢出门。这一日，吴贵出门买东西，回来晚了。那媳妇子本有些感冒着了，日间吃错了药，晚上吴贵到家，已死在炕上。（这里有恶有恶报的含意。）外面的人因那媳妇子不妥当，便都说妖怪爬过墙吸了精去死的。于是老太太着急的了不得，另派了好些人将宝玉的住房围住，巡逻打更。这些小丫头们还说，有的看见红脸的，有的看见很俊的女人的，吵嚷不休，唬的宝玉天天害怕。（写得活泼热闹。没有别的戏演了，便自己演悲剧、闹剧、恐怖剧。上风头便一哄而上，下风头便一哄而垮。人间事常常如此。）亏得宝钗有把持，听得丫头们混说，便唬吓着要打，所以那些谣言略好些。无奈各房的人都是疑人疑鬼的不安静，也添了人坐更，于是更加了好些食用。独有贾赦不大很信，说：『好好园子，那里有什么鬼怪！』（贾赦此意见正确，可惜底气不足。）挑了个风清日暖的日子，带了好几个家人，手内持着器械，到园踹看动静。

众人劝他不依。到了园中，果然阴气逼人。贾赦还扎挣前走，跟的人都探头缩脑。内中有个年轻的家人，心内已经害怕，只听『嗯』的一声，回过头来，只见五色灿烂的一件东西跳过去了，唬得『嗳哟』一声，腿子发软，就躺倒了。贾赦回身查问，那小子喘嘘嘘的回道：『亲眼看见一个黄脸红须绿衣青裳一个妖怪走到树林子后头山窟窿里去了。』贾赦听了，便也有些胆怯，问道：『你们都看见么？』有几个『推顺水船儿』的回说：『怎么没瞧见？因老爷在头里，不敢惊动罢了。奴才们还掌得住。』说得贾赦害怕，也不敢再走，急急的回来，吩咐小子们：『不要提及，只说看遍了，没有什么东西。』心里实也相信，要到真人府里请法官驱邪。岂知那些家人无事还要生事，今见贾赦怕了，不但不瞒着，反添些穿凿，说得人人吐舌。

贾赦没法，只得请道士到园作法事，驱邪逐妖。择吉日，先在省亲正殿上铺排起坛场，上供三清圣像，旁设二十八宿并马、赵、温、周四大将，下排三十六天将图像。香花灯烛设满一堂，钟鼓法器排两边，插着五方旗号。道纪司派定四十九位道众的执事，净了一天的坛。三位法官行香取水毕，然后擂起法鼓。法师们俱戴上七星冠，披上九宫八卦的法衣，踏着登云履，手执牙笏，便拜表请圣。又念了一天的消灾邪的接福的《洞元经》，以后便出榜召将。（盛时歌舞升平，福寿祥瑞，宛若百年不散之筵席。衰时乌烟瘴气，鬼哭狼嚎，诚然十面埋伏之鬼域。）榜上大书『太乙、混元、上清三境灵宝符箓演教大法师，行文敕令本境诸神到坛听用』。（这也算民俗文化？）那日，两府上下爷们仗着法师擒妖，都到园中观看，都说：『好大法令！呼神遣将的闹起来，不管有多少妖怪也唬跑了。』（不等树倒猢狲散，已是树衰猢狲乱。）大家都挤到坛前。只见小道士们将旗幡举起，按定五方站住，伺候法师号令。三位法师，一位手

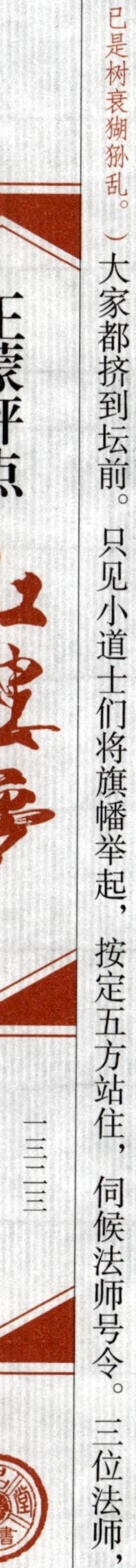

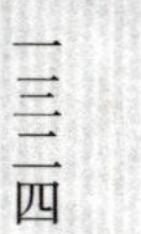

提宝剑，拿着法水；一位捧着七星皂旗；一位举着桃木打妖鞭：立在坛前。只听法器一停，上头令牌三下，口中念念有词，那五方旗便团团散布。法师下坛，叫本家领着到各处楼阁殿亭，房廊屋舍，山崖水畔，洒了法水，将剑指画了一回。回来连击令牌，将七星旗祭起，众道士将旗幡一聚，接下打妖鞭望空打了三下。（家之将亡，必有妖孽。）本家众人都道拿住妖怪，争着要看，及到跟前，并不见有什么形响。只见法师叫众道士拿取瓶罐，将妖收下，加上封条，法师朱笔书符收起，令人带回在本观塔下镇住，一面撤坛谢将。（很像地方戏曲的场面。）贾赦恭敬叩谢了法师。

贾蓉等小弟兄背地都笑个不住，说：『这样的大排场，我打量拿着妖怪给我们瞧瞧，到底是些什么东西，那里知道是这样收罗，究竟妖怪拿去了没有？』贾珍听见，骂道：『糊涂东西！妖怪原是聚则成形，散则成气，如今多少神将在这里，还敢现形吗？无非把这妖气收了，便不作祟，就是法力了。』众人将信将疑，且等不见响动再说。

那些下人只知妖怪被擒，疑心去了，便不大惊小怪，往后果然没人提起了。贾珍等病愈复原，都道法师神力。（愚人蠢病，需要庸医傻治。）独有一个小子笑说道：『头里那些响动，我也不知道。就是跟着大老爷进园这一日，明明是个大公野鸡飞过去了，拴儿吓离了眼，说得活像。我们都替他圆了个谎，大老爷就认真起来。倒瞧了个很热闹的坛场。』众人虽然听见，那里肯信，究无人住。

一日，贾赦无事，正想要叫几个家下人搬往园中看守书屋，惟恐夜晚藏匿奸人。方欲传出话去，只见贾琏进来，请了安，回说：『今日到他大舅家去，听见一个荒信，说是二叔被节度使参进来，为的是失察属员，重征粮米，

请旨革职的事。』贾赦听了，吃惊道：『只怕是谣言罢？前儿你二叔带书子来，说探春于某日到了任所，择了某日吉时，送了你妹子到了海疆，路上风恬浪静，合家不必挂念。还说节度认亲，倒设席贺喜。那里有做了亲戚倒提参起来的？且不必言语，快到吏部打听明白，就来回我。』

贾琏即刻出去，不到半日回来，便说：『才到吏部打听，果然二叔被参。（做清官做不成功，做糊涂官则被参，也是两难。）题本上去，亏得皇上的恩典，没有交部，便下旨意，说是：「失察属员，重征粮米，苛虐百姓，本应革职，姑念初膺外任，不谙吏治，被属员蒙蔽，着降三级，加恩仍以工部员外上行走，并令即日回京。」这信是准的。正在吏部说话的时候，来了一个江西引见知县，说起我们二叔是很感激的。但说是个好上司，只是用人不当，那些家人在外招摇撞骗，欺凌属员，已经把好名声都弄坏了。节度大人早已知道，也说我们二叔是个好人。（李十儿的胜利。）不知怎么样，这回又参了。想是忒闹得不好，恐将来弄出大祸，所以借了一件失察的事情参的，倒是避重就轻的意思，也未可知。』（参中有保。高鹗相当精通官场诸事。）贾赦未听说完，便叫贾琏：『先去告诉你婶子知道，且不必告诉老太太就是了。』贾琏去回王夫人。未知有何话说，下回分解。

乱轰轰一败涂地。有些做法似有失贾府身份。按道理贾母是见过世面的，凤姐是不信怪力乱神的，至少宝玉宝钗也不是弄这一套的。但未见他们拦阻。前八十回的『大活动』，都较有身份有格调。这几回则极差。是高鹗写不了那种高级活动呢，还是贾府已经直线破败堕落，以至于斯呢？

贾府、大观园已成鬼域，而且似乎是很客观、很自然地发展到了这一步，没有谁有意为之，也没有谁能改变趋势。

第一百三回 施毒计金桂自焚身 味真禅雨村空遇旧

话说贾琏到了王夫人那边，一一的说了。次日，到了部里，打点停妥，回来又到王夫人那边将打点吏部之事告知。王夫人便道：『打听准了么？果然这样，老爷也愿意，合家也放心。那外任是何尝做得的？若不是这样的参回来，只怕叫那些混账东西把老爷的性命都坑了呢！』（王夫人的反应倒很明白。倒也懂得急流勇退的道理。）贾琏道：『太太那里知道？』王夫人道：『自从你二叔放了外任，并没有一个钱拿回来，把家里的倒掏摸了好些去了。（这笔账是糊涂账。）你瞧，那些跟老爷去的人，他男人在外头不多几时，那些小老婆子们便金头银面的妆扮起来了，可不是在外头瞒着老爷弄钱？你叔叔便由着他们闹去。要弄出事来，不但自己的官做不成，只怕连祖上的官也要抹掉了呢。』贾琏道：『婶子说得很是。方才我听见参了，吓的了不得，直等打听明白才放心。也愿意老爷做个京官，安安逸逸的做几年，才保得住一辈子的声名。就是老太太知道了，倒也是放心的。只要太太说得宽缓些。』王夫人道：『我知道，你到底再去打听打听。』（前八十回，王夫人刚愎自用，这里倒好了些。）

贾琏答应了，才要出来，只见薛姨妈家的老婆子慌慌张张的走来，到王夫人里间屋内，也没说请安，便道：『我们太太叫我来告诉这里的姨太太说，我们家了不得了，又闹出事来了！』（跟着插科打诨。这一段很有戏曲味道。）王夫人听了，便问：『闹出什么事来？』那婆子又说：『了不得，了不得！』王夫人哼道：『糊涂东西！有紧要事，你到底说啊！』婆子便说：『我们家二爷不在家，一个男人也没有，这件事情出来，怎么办！要求太太打发几位爷们去料理料理。』王夫人听着不懂，便着急道：『究竟要爷们去干什么事？』婆子道：『我们大奶奶死了。』王夫人听了，便啐道：『这种女人死了罢咧，也值得大惊小怪的！』婆子道：『不是好好儿死的，是混闹死的。快求太太打发人去办办。』说着就要走。王夫人又生气，又好笑，说：『这婆子好混账！琏哥儿，倒不如你过去瞧瞧，别理那糊涂东西。』那婆子没听见打发人去，只听见说『别理他』，他便赌气跑回去了。（一段加进去疏散结构的丑角戏。）

这里薛姨妈正在着急，再等不来。好容易见那婆子来了，便问：『姨太太打发谁来？』婆子叹说道：『人最不要有急难事。什么好亲好眷，看来也不中用。姨太太不但不肯照应我们，倒骂我糊涂。』薛姨妈听了，又气又急道：『姨太太不管，你姑奶奶怎么说了？』婆子道：『姨太太既不管，我们家的姑奶奶自然更不管了，没有去告诉。』薛姨妈啐道：『姨太太是外人，姑娘是我养的，怎么不管？』婆子一时省悟道：『是啊，怎么着我还去。』

正说着，只见贾琏来了，给薛姨妈请了安，道了恼，回说：『我婶子知道弟妇死了，问老婆子，再说不明，着急得很，打发我来问个明白，还叫我在这里料理。该怎么样，姨太太只管说了办去。』薛姨妈本来气得干哭，听见贾琏的话，便笑着说：『倒要二爷费心。我说姨太太是待我最好的，都是这老货说不清，几乎误了事。请二爷坐下，等我慢慢的告诉你。』便说：『不为别的事，为的是媳妇不是好死的。』贾琏道：『想是为兄弟犯事，怨命死的？』薛姨妈道：『若这样倒好了。前几个月头里，他天天蓬头赤脚的疯闹。后来听见你兄弟问了死罪，

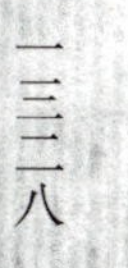

他虽哭了一场，以后倒擦胭抹粉的起来。我若说他，又要吵个了不得，我总不理他。有一天，不知怎么样来要香菱去作伴。（小儿科手段。）我说：『你放着宝蟾，还要香菱做什么？况且香菱是你不爱的，何苦招气生？』他必不依。我没法儿，便叫香菱到他屋里去。可怜这香菱不敢违我的话，带着病就去了。谁知道他待香菱很好，我倒喜欢，你大妹妹知道了，说：「只怕不是好心罢。」（神佛保佑，姑妄说之。）我也不理会。头几天香菱病着，他倒亲手去做汤给他吃。谁知香菱没福，刚端到跟前，他自己烫了手，连碗都砸了。我只说必要迁怒在香菱身上，他倒没生气，自己还拿笤帚扫了，拿水泼净了地，仍旧两个人很好。昨儿晚上，又叫宝蟾去做了两碗汤来，自己说同香菱一块儿喝。隔了一回，听见他屋里两只脚蹬响，宝蟾急的乱嚷，以后香菱也嚷着，扶着墙出来叫人。我忙着看去，只见媳妇鼻子眼睛里都流出血来，在地下乱滚，两只手在心口乱抓，两脚乱蹬，把我就吓死了。问他也说不出来，只管直嚷，闹了一回就死了。（令人联想起此前的窦娥、张驴儿故事与此后的杨乃武、小白菜故事。小说是可以模式化的，莫非生活也可以模式化？）我瞧那光景是服了毒的。宝蟾就哭着来揪香菱，说他把药药死了奶奶了。我看香菱也不是这么样的人。再者，他病的起还起不来，怎么能药人呢？无奈宝蟾一口咬定。我的二爷，这叫我怎么办？只得硬着心肠，叫老婆子们把香菱捆了，交给宝蟾，便把房门反扣了。我同你二妹妹守了一夜，等府里的门开了，才告诉去的。二爷，你是明白人，这件事怎么好？』贾琏道：『夏家知道了没有？』薛姨妈道：『也得撕掳明白了，才好报啊。』贾琏道：『据我看起来，必要经官才了得下来。我们自然疑在宝蟾身上，别人便说宝蟾为什么药死他奶奶，也是没答对的，若说在香菱身上，竟还装得上。』

正说着，只见荣府女人们进来说：『我们二奶奶来了。』贾琏虽是大伯子，因从小儿见的，也不回避。宝钗进来见了母亲，又见了贾琏，便往里间屋里同宝琴坐下。薛姨妈也将前事告诉一遍。宝钗便说：『若把香菱捆了，可不是我们也说是香菱药死的了么？妈妈说这汤是宝蟾做的，就该捆起宝蟾来问他呀。一面便该打发人报夏家去，一面报官的是。』（贾琏、宝钗都重视报官，他们本身与官穿一条裤子，经官才有伏侍，才有把握。）薛姨妈听见有理，便问贾琏。贾琏道：『二妹子说得很是。报官还得我去托了刑部里的人。相验问口供的时候，有照应得。只是要捆宝蟾放香菱，倒怕难些。』薛姨妈道：『并不是我要捆香菱，我恐怕香菱病中受冤着急，一时寻死，又添了一条人命，才捆了交给宝蟾，也是一个主意。』贾琏道：『虽是这么说，我们倒帮了宝蟾了。若要放都放，要捆都捆，他们三个人是一处的。只要叫人安慰香菱就是了。』（拘留、隔离直至收监而曰『保护』，『文革』中常用的法子。『红』已有之。）薛姨妈便叫人开门进去，宝钗就派了带来几个女人帮着捆宝蟾。只见香菱已哭得死去活来，宝蟾反得意洋洋。以后见人要捆他，便乱嚷起来。那禁得荣府的人吆喝着，也就捆了，竟开着门，好叫人看着。（又是小儿科。）

前八十回也不乏丑闻，但丑闻中仍有灵气。如尤三姐陪珍、琏吃酒时的痛快淋漓，以毒攻毒。凤姐整尤二姐的机关算尽而又心狠手辣。赵姨娘马道婆妖术一节虽不佳，但归结到一僧一道来为宝玉持诵摩弄，仍有含义。后四十回中的金桂故事则一味俗恶，水平一下子塌了下来。

这里报夏家的人已经去了。那夏家先前不住在京里，因近年消索，（夏家也在『消索』——萧索。）又记挂女儿，新近搬进京来。父亲已没，只有母亲，又过继了一个混账儿子，把家业都花完了，不时的常到薛家。那金桂原是

个水性人儿，那里守得住空房，况兼天天心里想念薛蝌，便有些饥不择食的光景。（尤其不堪。）无奈他这一干兄弟又是个蠢货，虽也有些知觉，只是尚未入港，所以金桂时常回去，也帮贴他些银钱。这些时正盼金桂回家，只见薛家的人来，心里就想：『又拿什么东西来了。』不料说这里姑娘服毒死了，他便气得乱嚷乱叫。金桂的母亲听见了，更哭喊起来，说：『好端端的女孩儿在他家，为什么服了毒呢？』哭着喊着的，带了儿子，也等不的雇车，便要走来。那夏家本是买卖人家，如今没了钱，那顾什么脸面，（买卖人家与官宦人家的比照。）儿子头里就走，他跟了一个破老婆子出了门，在街上啼啼哭哭的雇了一辆破车，便跑到薛家。进门也不搭话，就『儿』一声『肉』一声的要讨人命。

那时贾琏到刑部托人，家里只有薛姨妈、宝钗、宝琴，何曾见过这个阵仗，都吓得不敢则声。便要与他讲理，他们也不听，只说：『我女孩儿在你家，得过什么好处？两口朝打暮骂，闹了几时，还不容他两口子在一处。你们商量着把女婿弄在监里，永不见面。你们娘儿们仗着好亲戚受用也罢了，还嫌他碍眼，叫人药死了他，倒说是服毒！他为什么服毒？』（蛮不讲理，硬栽硬扣，不要证据，不要逻辑，不要分析。这种横蛮作风，倒也是『红』已有之了。）说着，直奔着薛姨妈来。薛姨妈只得退后，说：『亲家太太，且瞧瞧你女儿，问问宝蟾，再说歪话不迟。』宝钗宝琴因外面有夏家的儿子，难以出来拦护，只在里边着急。

恰好王夫人打发周瑞家的照看，一进门来，见一个老婆子指着薛姨妈的脸哭骂。周瑞家的知道必是金桂的母亲，便走上来说：『这位是亲家太太么？大奶奶自己服毒死的，与我们姨太太什么相干？也不犯这么遭塌呀！』那金

桂的母亲问：『你是谁？』薛姨妈见有了人，胆子略壮了些，便说：『这就是我亲戚贾府里的。』金桂的母亲便说：『谁不知道你们有仗腰子的亲戚，才能够叫姑爷坐在监里。如今我的女孩儿倒白死了不成？』说着，便拉薛姨妈说：『你到底把我女儿怎样弄杀了？给我瞧瞧！』（此话的横蛮性也可观。把各种需要调查分析论证的前提事先坐定，无条件认定有罪。有罪推定，然后再说底下的。）周瑞家的一面劝说：『只管瞧瞧，用不着拉拉扯扯。』便把手一推。夏家的儿子便跑进来不依，道：『你仗着府里的势头儿来打我母亲么？』说着，便将椅子打去，却没有打着。里头跟宝钗的人听见外头闹起来，赶着来瞧，恐怕周瑞家的吃亏，齐打伙的上去，半劝半喝，那夏家的母子，索性撒起泼来，说：『知道你们荣府的势头儿。我们家的姑娘已经死了，如今也都不要命了！』说着，仍奔薛姨妈拚命。（泼皮传统。）地下的人虽多，那里挡得住，自古说的：『一人拚命，万夫莫当。』

金桂母亲闹是完全可以理解的。说薛家『商量着把女婿弄在监里』，则难以思议，异想天开，血口喷人。这样的硬栽论断，居然可以理直气壮地叫喊一番，也算是红楼奇观。我想说你什么就说你什么，我说你怎样你就是怎样，一口咬定，绝不松口，就是这等人的行为模式。

正闹到危急之际，贾琏带了七八个家人进来，见是如此，便叫人先把夏家的儿子拉出去，便说：『你们不许闹，有话好好儿的说。快将家里收拾收拾，刑部里头的老爷们就来相验了。』金桂的母亲正在撒泼，只见来了一位老爷，几个在头里吆喝，那些人都垂手侍立。金桂的母亲见这个光景，也不知是贾府何人。又见他儿子已被众人揪住，又听见说刑部来验，他心里原想看见女儿尸首，先闹了一个稀烂，再去喊官去，不承望这里先报了官，也便

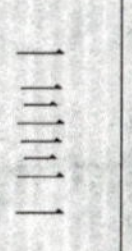

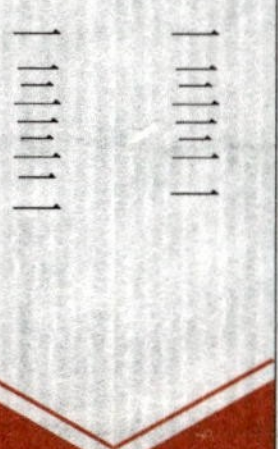

软了些。（见官则软，这等人物的特色。泼皮虽然厉害，却常怕官。河北农村有谚云：乡下的光棍怕大墙——老爷，城里的光棍怕大堂——见官。）薛姨妈已吓糊涂了，还是周瑞家的回说：『他们来了也没有去瞧他姑娘，便作践起姨太太来了。我们为好劝他，那里跑进一个野男人，在奶奶们里头混撒村混打，这可不是没有王法了。』贾琏道：『这回子不用和他讲理，等一会子打着问他，说：男人有男人的所在，里头都是些姑娘奶奶们，况且有他母亲还瞧不见他们姑娘么，他跑进来不是要打抢来了么！』（也是抓住辫子往死里扣。）家人们做好做歹，压伏住了。

周瑞家的仗着人多，便说：『夏太太，你不懂事！既来了，该问个青红皂白。你们姑娘是自己服毒死了，不然，便是宝蟾药死他主子了。怎么不问明白，又不看尸首，就想讹人来了呢？我们就肯叫一个媳妇儿白死了不成？现在把宝蟾捆着，因为你们姑娘必要点病儿，所以叫香菱陪着他，也在一个屋里住，故此，两个人都看守在那里。原等你们来眼看着刑部相验，问出道理来才是啊！』金桂的母亲此时势孤，也只得跟着周瑞家的到他女孩儿屋里，只见满脸黑血，直挺挺的躺在炕上，便叫哭起来。宝蟾见是他家的人来，便哭喊说：『我们姑娘好意待香菱，叫他在一块儿住，他倒抽空儿药死我们姑娘！』那时薛家上下人等俱在，便齐声吆喝道：『胡说！昨日奶奶喝了汤才药死的，这汤可不是你做的？』宝蟾道：『汤是我做的，端了来，我有事走了。不知香菱起来放些什么在里头药死的。』金桂的母亲听未说完，就奔香菱，众人拦住。薛姨妈便道：『这样子是砒霜药死的，家里决无此物。不管香菱宝蟾，终有替他买的。回来刑部少不得问出来，才赖不去。如今把媳妇权放平正，好等官来相验。』众婆子上来抬放。宝钗道：『都是男人进来，你们将女人动用的东西检点检点。』只见炕褥底下有一个揉成团的纸包

儿。金桂的母亲瞧见，便拾起打开看时，并没有什么，便撩开了。宝蟾看见道：『可不是有了凭据了！这个纸包儿我认得，头几天耗子闹的慌，奶奶家去与舅爷要的，拿回来搁在首饰匣内。必是香菱看见了，拿来药死奶奶的。若不信，你们看见首饰匣里有没有了。』（宝蟾说话如此没遮拦么？如此乐于提供线索么？）

金桂的母亲便依着宝蟾的所言，取出匣子，只有几支银簪子。薛姨妈便说：『怎么好些首饰都没有了？』宝钗叫人打开箱柜，俱是空的，便道：『嫂子这些东西被谁拿去？这可要问宝蟾。』金桂的母亲心里也虚了好些，见薛姨妈查问宝蟾，便说：『姑娘的东西，他那里知道？』（贾、薛虽呈败势，镇压夏家，尚富富有余。）周瑞家的道：『亲家太太别这么说呢。我知道宝姑娘是天天跟着大奶奶的，怎么说不知？』这宝蟾见问得紧，又不好胡赖，只得说道：『奶奶自己每每带回家去，我管得么！』（宝蟾开始吐露真相。）众人便说：『好个亲家太太！哄着拿姑娘的东西，哄完了，叫他寻死，来讹我们。好罢了！回来相验，便是这么说。』宝钗叫人：『到外头告诉琏二爷说，别放了夏家的人。』里面金桂的母亲忙了手脚，便骂宝蟾道：『小蹄子别嚼舌头了！姑娘几时拿东西到我家去？』宝蟾道：『如今东西是小，给姑娘偿命是大。』宝琴道：『有了东西，就有偿命的人了。快请琏二哥哥问准了夏家的儿子买砒霜的话，回来好回刑部里的话。』金桂的母亲着了急道：『这宝蟾必是撞见鬼了，混说起来！我们姑娘何尝买过砒霜？若这么说，必是宝蟾药死了的。』宝蟾急的乱嚷，说：『别人赖我也罢了，怎么你们也赖起我来呢？你们不是常和姑娘说，叫他别受委屈，闹得他们家破人亡，那时将东西卷包儿一走，再配一个好姑爷。这个话是有的没有？』（直露至此，令人骇然。别说大户人家，就是小户人家，除了赌气乱骂，能这样说话吗？）金桂的母亲还未及答言，

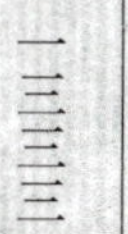

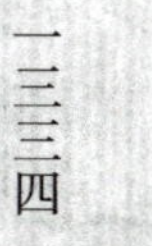

周瑞家的便接口说道：『这是你们家的人说的，还赖什么呢？』金桂的母亲恨的咬牙切齿的骂宝蟾，说：『我待你不错呀！为什么你倒拿话来葬送我呢？回来见了官，我就说是你药死姑娘的。』宝蟾气得瞪着眼说：『请太太放了香菱罢，不犯着白害别人，我见官自有我的话。』（贾薛等家中也会有、一定有这些低级烂事，问题是写得应有点新意。）

（这里的金桂毒计一节，则写得像是三流笔墨。）

宝钗听出这个话头儿来了，便叫人反倒放开了宝蟾，说：『你原是个爽快人，何苦白冤在里头？你有话，索性说了，大家明白，岂不完了事了呢？』宝蟾也怕见官受苦，便说：『我们奶奶天天抱怨说：「我这样人，为什么碰着这个瞎眼的娘，不配给二爷，偏给了这么个混账糊涂行子。要是能够同二爷过一天，死了也是愿意的。」说到那里，便恨香菱，我起初不理会，后来看见与香菱好了，我只道是香菱教他什么了。不承望昨儿的汤不是好意。』金桂的母亲接说道：『益发胡说了！若是要药香菱，为什么倒药了自己呢？』宝钗便问道：『香菱，昨日你喝汤来着没有？』香菱道：『头几天我病得抬不起头来，奶奶叫我喝汤，我不敢说不喝。刚要扎挣起来，那碗汤已经洒了，倒叫奶奶收拾了个难，我心里很过不去。昨儿听见叫我喝汤，我喝不下去，没有法儿，正要喝的时候儿呢，偏又头晕起来。见宝蟾姐姐端了去，我正喜欢；刚合上眼，奶奶自己喝着汤，叫我尝尝，我便勉强也喝了。』宝蟾不待说完便道：『是了！我老实说罢。昨儿奶奶叫我做两碗汤，说是和香菱同喝。我气不过，心里想着：香菱那里配我做汤给他喝呢？我故意的一碗里头多抓了一把盐，记了暗记儿，原想给香菱喝的。刚端进来，奶奶却拦着我到外头叫小子们雇车，说今日回家去。（更加孩子气了。生下来就狡猾，到老还长不大。）我出去说了回来，见

盐多的这碗汤在奶奶跟前呢。我恐怕奶奶喝着咸，又要骂我。正没法的时候，奶奶往后头走动，我眼错不见，就把香菱这碗汤换了过来。也是合该如此，奶奶回来就拿了汤去到香菱床边，喝着说：「你到底尝尝。」那香菱也不觉咸，两个人都喝完了。（倒也符合恶有恶报、现世报的原则。）我正笑香菱没嘴道儿，那里知道这死鬼奶奶要药香菱，必定趁我不在，将砒霜撒上了，也不知道我换碗。这可就是「天理昭彰，自害自身」了。」（宝蟾居然也讲『天理昭彰』，她有这样的正气吗？）于是众人往前后一想，真正一丝不错，便将香菱也放了，扶着他仍旧睡在床上。

不说香菱得放，且说金桂的母亲心虚事实，还想辩赖。薛姨妈等你言我语，反要他儿子偿还金桂之命。正然吵嚷，贾琏在外嚷说：「不用多说了，快收拾停当。刑部的老爷就到了。」此时惟有夏家母子着忙，想来总要吃亏的，不得已反求薛姨妈道：「千不是，万不是，终是我死的女孩儿不长进。这也是他自作自受。若是刑部相验，到底府上脸面不好看，求亲家太太息了这件事罢。」宝钗道：「那可使不得。已经报了，怎么能息呢？」周瑞家的等人大家做好做歹的劝说：「若要息事，除非夏亲家太太自己出去拦验，我们不提长短罢了。」贾琏在外也将他儿子吓住。他情愿迎到刑部具结拦验，众人依允。薛姨妈命人买棺成殓，不提。

（这个破案的过程，宝蟾据实坦白交待的过程，夏家诸人从狗咬狗到被制服的过程，似嫌太小儿科了。愚而诈，思想简单而又坏水阴谋，天真幼稚而又凶恶诡诈，莫非他们当真如此？）

且说贾雨村升了京兆府尹，兼管税务。一日，出都查勘开垦地亩，路过知机县，到了急流津，正要渡过彼岸，因待人夫，暂且停轿。只见村旁有一座小庙，墙壁坍颓，露出几株古松，倒也苍老。雨村下轿，闲步进庙，但见

庙内神象，金身脱落，殿宇歪斜，旁有断碣，字迹模糊，也看不明白。意欲行至后殿，只见一株翠柏下荫着一间茅庐，庐中有一个道士，合眼打坐。雨村走近看时，面貌甚熟，想着倒像在那里见来的，一时再想不出来。（又是紧扣前文。这一类文字倒还像续作者或续编者补上的。编辑打点补丁，收线头，完全可能。编辑写新的大情节、大场面，一般应无可能。）从人便欲吆喝，雨村止住，徐步向前，叫一声「老道」。那道士双眼微启，微微的笑道：「贵官何事？」雨村便道：「本府出都查勘事件，路过此地，见老道静修自得，想来道行深通，意欲冒昧请教。」那道人说：「来自有地，去自有方。」雨村知是有些来历的，便长揖请问：「老道从何处修来，在此结庐？此庙何名？庙中共有几人？或欲真修，岂无名山？或欲结缘，何不通衢？」那道人道：「『葫芦』尚可安身，何必名山结舍？庙名久隐，断碣犹存，形影相随，何须修募？岂似那『玉在椟中求善价，钗于奁内待时飞』之辈耶！」（太讽刺了，不是出世深修者的口吻。）

雨村原是个颖悟人，初听见『葫芦』两字，后闻『钗玉』一对，忽然想起甄士隐的事来，重复将那道士端详一回，见他容貌依然，便屏退从人，问道：「君家莫非甄老先生么？」那道人微微笑道：「什么『真』，什么『假』！要知道『真』即是『假』，『假』即是『真』。」（甄贾相遇，红楼梦将要结束了。起在何处，结在何处，古典小说喜用此法。）

雨村听说出『贾』字来，益发无疑，便从新施礼，道：「学生自蒙慨赠到都，托庇获隽公车，受任贵乡，始知老先生超悟尘凡，飘举仙境。学生虽溯洄思切，自念风尘俗吏，未由再睹仙颜，今何幸于此处相遇！求老仙翁指示愚蒙。倘荷不弃，京寓甚近，学生当得供奉，得以朝夕聆教。」那道人也站起来回礼，道：「我于蒲团之外，不知天地间尚有何物。适才尊官所言，贫道一概不解。」（既不相认，何必言语挑逗，恰似并未看破红尘。）说毕，依旧坐下。

雨村复又心疑：『想去若非士隐，何貌言相似若此？离别来十九载，面色如旧，必是修炼有成，未肯将前身说破。但我既遇恩公，又不可当面错过。看来不能以富贵动之，那妻女之私更不必说了。』想罢，又道：『仙师既不肯说破前因，弟子于心何忍？』正要下礼，只见从人进来禀说：『天色将晚，快请渡河。』雨村正无主意，那道人道：『请尊官速登彼岸，见面有期，迟则风浪顿起。果蒙不弃，贫道他日尚在渡头候教。』说毕，仍合眼打坐。雨村无奈，只得辞了道人出庙。正要渡过，只见一人飞奔而来。（留下后话。）未知何事，下回分解。

此回金桂死、雨村遇旧事，情节设计已乏善可陈，写得更如同儿戏。读后令人摇头。这种水平，续它做甚！

大户人家，气数已尽，其丑陋种种，不亚于平民，而只能是过之。而后糊弄出个甄士隐来，气味略有调剂。

第一百四回　醉金刚小鳅生大浪　痴公子余痛触前情

话说贾雨村刚欲过渡，见有人飞奔而来，跑到跟前，口称：『老爷！方才逛的那庙火起了。』雨村回首看时，只见烈焰烧天，飞灰蔽日。（小把戏。）雨村心想：『这也奇怪！我才出来，走不多远，这火从何而来？莫非士隐遭劫于此？』欲待回去，又恐误了过河；若不回去，心下又不安。想了一想，便问道：『你方才见这老道士出来了没有？』那人道：『小的原随老爷出来，因腹内疼痛，略走了一走。回头看见一片火光，原来就是那庙中火起，特赶来禀知老爷，并没有见有人出来。』雨村虽则心里狐疑，究竟是名利关心的人，那肯回去看视，便叫那人：『你在这里等火灭了，进去瞧那老道在与不在，即来回禀。』那人只得答应了伺候。雨村过河，仍自去查看，查了几处，遇公馆便自歇下。

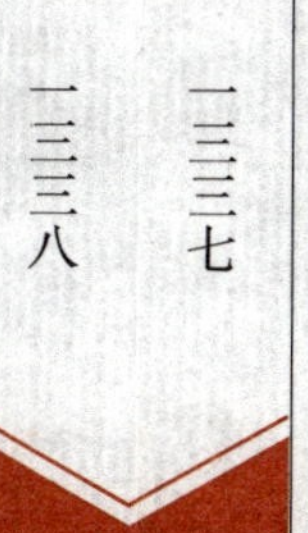

明日，又行一程，进了都门，众衙役接着，前呼后拥的走着。雨村坐在轿内，听见轿前开路的人吵嚷。雨村问是何事，那开路的拉了一个人过来跪在轿前，禀道：『那人酒醉，不知回避，反冲突过来。小的吆喝他，他倒恃酒撒赖，躺在街心，说小的打了他了。』（乱臣贼子，到处都有。）雨村便道：『我是管理这里地方的，你们都是我的子民。知道本府经过，喝了酒，不知退避，还敢撒赖！』那人道：『我喝酒是自己的钱，醉了，躺的是皇上的地，便是大人老爷也管不得。』（这几句话倒有点人格觉醒之意。）雨村怒道：『这人目无法纪，问他叫什么名字。』那人回道：『我叫醉金刚倪二。』雨村听了生气，叫人：『打这金刚，瞧他是金刚不是！』手下把倪二按倒，着实的打了几鞭。倪二负痛，酒醒求饶。雨村在轿内笑道：『原来是这么个金刚！我且不打你，叫人带进衙门慢慢的问你。』众衙役答应，拴了倪二，拉着便走。倪二哀求，也不中用。（大人、老爷多的地方，赖皮、流氓、冒险分子亦多。）

雨村进内复旨回曹，那里把这件事放在心上。那街上看热闹的，三三两两传说：『倪二仗着有些力气，恃酒讹人，今儿碰在贾大人手里，只怕不轻饶的。』这话已传到他妻女耳边，那夜果等倪二不见回家，他女儿便到各处赌场寻觅。那赌博的都是这么说，他女儿急得哭了。众人都道：『你不用着急。那贾大人是荣府的一家。荣府里的一个什么二爷和你父亲相好，你同你母亲去找他说个情，就放出来了。』倪二的女儿听了想一想：『果然我父亲常说间壁贾二爷和他好，为什么不找他去？』赶着回来即和母亲说了，娘儿两个去找贾芸。

那日贾芸恰在家，见他母女两个过来，便让坐。贾芸的母亲便倒茶。倪家母女即将倪二被贾大人拿去的话说了一遍，『求二爷说情放出来。』贾芸一口应承，说：『这算不得什么，我到西府里说一声就放了。那贾大人全仗我家西府里才得做了这么个大官，只要打发个人去一说就完了。』（虾帮虾，蟹帮蟹，人际关系都是网状的。）倪家母女欢喜，回来便到府里告诉了倪二，叫他不用忙，已经求了贾二爷，他满口应承，讨个情便放出来的。倪二听了也喜欢。

不料贾芸自从那日给凤姐送礼不收，不好意思进来，也不常到荣府。那荣府的门上原看着主子的行事，叫谁走动，才有些体面，一时来了，他便进去通报；若主子不大理了，不论本家亲戚，他一概不回，支了去就完事。那日贾芸到府上说：『给琏二爷请安。』门上的说：『二爷不在家，等回来，我们替回罢。』贾芸欲要说『请二奶奶的安』，生恐门上厌烦，只得回家。又被倪家母女催逼着，说：『二爷常说府上是不论那个衙门，说一声谁敢不依。如今还是府里的一家，又不为什么大事，这个情还讨不来，白是我们二爷了。』贾芸脸上下不来，嘴里还说硬话：『昨儿我们家里有事，没打发人说去，少不得今儿说了就放。什么大不了的事。』（贾芸状况亦不佳。留下后患。）倪家母女只得听信。岂知贾芸近日大门竟不得进去，绕到后头，要进园内找宝玉，不料园门锁着，只得垂头丧气的回来。想起『那年倪二借银与我，买了香料送给他，才派我种树；如今我没钱去打点，就把我拒绝。他也不是什么好的，拿着太爷留下的公中银钱在外放加一钱，我们穷本家，要借一两也不能。他打谅保得住一辈子不穷的了，那知外头的声名很不好，我不说罢了；若说起来，人命官司不知有多少呢！』（小人不可轻易得罪。自己有疮疤，就更怕得罪人。）一面想着，来到家中，只见倪家母女都等着。贾芸无言可支，便说道：『西府里已经打发人说了，只言贾大人不依。你还求我们家的奴才周瑞的亲戚冷子兴去才中用。』倪家母女听了，说：『二爷这

样体面爷们还不中用，若是奴才，是更不中用了。』贾芸不好意思，心里发急道：『你不知道，如今的奴才比主子强多着呢！』（事物的变化，人际关系的变化，都时时带来新的情况，固不可凝固地看人看事也。）倪家母女听来无法，只得冷笑几声，说：『这倒难为二爷白跑了这几天，等我们那一个出来再道乏罢。』说毕出来，另托人将倪二弄了出来，只打了几板，也没有什么罪。

倪二回家，他妻女将贾家不肯说情的话说了一遍。倪二正喝着酒，便生气要找贾芸，说：『这小杂种，没良心的东西！头里他没有饭吃，要到府内钻谋事办，亏我倪二爷帮了他。如今我有了事，他不管。好罢咧！若是我倪二闹出来，连两府里都不干净！』他妻女忙劝道：『嗳！你又喝了黄汤，便是这样有天没日头的。前儿可不是醉了闹的乱子，捱了打，还没好呢，你又闹了。』倪二道：『捱了打便怕他不成？只怕拿不着由头！（成事不足，败事有余，对泼皮亦不可过于不放在眼里。）我在监里的时候，倒认得了好几个有义气的朋友。听见他们说起来，不独是城内姓贾的多，外省姓贾的也不少，前儿监里收下了好几个贾家的家人。我倒说这里的贾家小一辈子并奴才们虽不好，他们老一辈的还好，怎么犯了事？我打听打听，说是这里和贾家是一家，都住在外省，审明白了，解进来问罪的，我才放心。若说贾二这小子，他忘恩负义，我便和几个朋友说他家怎样倚势欺人，怎样盘剥小民，怎么强娶有男妇女。叫他们吵嚷出来，有了风声到了都老爷耳朵里头，这一闹起来，叫他们才认得倪二金刚呢！』（既有自上而下的欺压、盘剥办法，便一定有自下而上的折腾、讹诈办法。这也是相生相克。这也是载舟覆舟。）他女人道：『你喝了酒，睡去罢。他又强占谁家的女人来了？没有的事，你不用混说了。』倪二道：『你们在家里，那里知道外头的事？

前年我在赌场里碰见了小张，说他女人被贾家占了，他还和我商量，我倒劝他才了事的。（又回到尤二姐故事上。欠账，迟早必还。）不知这小张如今那里去了，这两年没见。若碰着了他，我倪二出个主意，叫贾老二死，给我好好儿的孝敬孝敬我倪二太爷才罢了！（光脚的不怕穿鞋的。）你倒不理我了。』说着，倒身躺下，嘴里还是咕咕嘟嘟的说了一回，便睡去了。他妻女只当是醉话，（醉话可畏。）也不理他。明日早起，倪二又往赌场中去了，不提。

且说雨村回到家中，歇息了一夜，将道上遇见甄士隐的事告诉了他夫人一遍。他夫人便埋怨他：『为什么不回去瞧一瞧？倘或烧死了，可不是咱们没良心。』说着，掉下泪来。（又是一大堆废话。）雨村道：『他是方外的人了，不肯和咱们在一处的。』正说着，外头传进话来禀说：『前日老爷吩咐瞧火烧庙去的回来了回话。』雨村踱了出来。那衙役打千请了安，回说：『小的奉老爷的命回去，也不等火灭，便冒火进去瞧那个道士，岂知他坐的地方都烧了。小的想着那道士必定烧死了。那烧的墙屋往后塌去，道士的影儿都没有。只有一个蒲团，一个瓢儿，还是好好的。小的各处找寻他的尸首，连骨头都没有一点儿。小的恐老爷不信，想要拿这蒲团瓢儿回来做个证见，小的这么一拿，岂知都成了灰了。』雨村听毕，心下明白，知士隐仙去，便把那衙役打发了出去。回到房中，并没提起士隐火化之言，恐他妇女不知，反生悲感，只说并无形迹，必是他先走了。（把『仙去』写得这样俗鄙而又幼稚。无神鬼之气象，却又装神弄鬼。）

雨村出来，独坐书房，正要细想士隐的话，忽有家人传报说：『内廷传旨，交看事件。』雨村疾忙上轿进内。只听见人说：『今日贾存周江西粮道被参回来，在朝内谢罪。』雨村忙到了内阁，见了各大人，将海疆办理不善的旨意看了，出来即忙找着贾政，先说了些为他抱屈的话，后又道喜，问一路可好。贾政也将违别以后的话细细的说

了一遍。雨村道：『谢罪的本上了去没有？』贾政道：『已上去了。等膳后下来看旨意罢。』正说着，只听里头传出旨来叫贾政，贾政即忙进去。各大人有与贾政关切的，都在里头等着，等了好一回，方见贾政出来。看见他带着满头的汗，众人迎上去接着，问：『有什么旨意？』贾政吐舌道：『吓死人，吓死人！（见君如见虎。）倒蒙各位大人关切，幸喜没有什么事。』众人道：『旨意问了些什么？』贾政道：『旨意问的是云南私带神枪一案。本上奏明是原任太师贾化的家人，主上一时记着我们先祖的名字，便问起来。（也是自讹开始，虚惊一场。）我忙着磕头奏明先祖的名字是代化，主上便笑了，还降旨意说：「前放兵部，后降府尹的，不是也叫贾化么？」』那时雨村也在傍边，倒吓了一跳，便问贾政道：『老先生怎么奏的？』贾政道：『我便慢慢奏道：「原任太师贾化是云南人，现任府尹贾某是浙江湖州人。」主上又问：「苏州刺史奏的贾范，是你一家了？」我又磕头奏道：「是。」主上便变色道：「纵使家奴强占良民妻女，还成事么？」我一句不敢奏。主上又问道：「贾范是你什么人？」我忙奏道：「是远族。」（由讹而至实。）主上哼了一声，降旨叫出来了。可不是吒事！』众人道：『本来也巧。怎么一连有这两件事？』贾政道：『事倒不奇，倒是都姓贾的不好。算来我们寒族人多，年代久了，各处都有。现在虽没有事，究竟主上记着一个「贾」字就不好。』（大有大的难处。）众人说：『真是真，假是假，怕什么？』贾政道：『我心里巴不得不做官，只是不敢告老，现在我们家里两个世袭，这也无可奈何的。』雨村道：『如今老先生仍是工部，想来京官是没有事的。』贾政道：『京官虽然无事，我究竟做过两次外任，也就说不齐了。』众人道：『二老爷的人品行事，我们都佩服的。就是令兄大老爷，也是个好人。只要在令侄辈身上严紧些就是了。』（这些都是伏线。大老爷未必好，侄辈更是一塌糊涂。）

贾政道：『我因在家的日子少，舍侄的事情不大查考，我心里也不甚放心。诸位今日提起，都是至相好，或者听见东宅的侄儿家有什么不奉规矩的事么？』众人道：『没听见别的，只有几位侍郎心里不大和睦，内监里头也有些。想来不怕什么，只要嘱咐那边令侄，诸事留神就是了。』（慢慢靠近矛盾要害了。）

众人说毕，举手而散，贾政然后回家。众子侄等都迎接上来，贾政迎着请贾母的安。然后众子侄俱请了贾政的安，一同进府。王夫人等已到了荣禧堂迎接。贾政先到了贾母那里拜见了，陈述些违别的话。贾母问探春消息，贾政将许嫁探春的事都禀明了，还说：『儿子起身急促，难过重阳，虽没有亲见，听见那边亲家的人来，说的极好。亲家老爷太太都说请老太太的安。还说今冬明春，大约还可调进京来。这便好了。如今闻得海疆有事，只怕那时还不能调。』（说的写得仍是平平。）贾母始则因贾政降调回来，知探春远在他乡，一无亲故，心下不悦；后听贾政将官事说明，探春安好，也便转悲为喜，便笑着叫贾政出去。然后弟兄相见，众子侄拜见，定了明日清晨拜祠堂。

贾政回到自己屋内，王夫人等见过，宝玉贾琏替另拜见。贾政见了宝玉果然比起身之时脸面丰满，倒觉安静，并不知他心里糊涂，所以心甚喜欢，不以降调为念，心想『幸亏老太太办理的好。』（『幸亏……办理的好』，无异反讽。）又见宝钗沉厚更胜先时，兰儿文雅俊秀，便喜形于色。独见环儿仍是先前，究不甚钟爱。（前文并未表现贾政亦不甚钟爱贾环，何苦一有机会就贬低环儿？）歇息了半天，忽然想起：『为何今日短了一人？』王夫人知是想着黛玉，前因家书未报，今日又初到家，正是喜欢，不便直告，只说是病着。岂知宝玉的心里已如刀绞，因父亲到家，只得把持心性伺候。王夫人家筵接风，子孙敬酒。凤姐虽是侄媳，现办家事，也随了宝钗等递酒。贾政便叫：『递

了一巡酒，都歇息去罢。』命众家人不必伺候，待明早拜过宗祠，然后进见。分派已定，贾政与王夫人说些别后的话，余者王夫人都不敢言。倒是贾政先提起王子腾的事来，王夫人也不敢悲戚。贾政又说蟠儿的事，王夫人只说他是自作自受，趁便也将黛玉已死的话告诉。贾政反吓了一惊，不觉掉下泪来，连声叹息。（读者早已明的事，又翻来覆去地重复述说，固小说之大忌，幸亏前面许多关节写得好，尚能支撑。）王夫人也掌不住，也哭了。傍边彩云等即忙拉衣，王夫人止住，重又说些喜欢的话，便安寝了。

次日一早，至宗祠行礼，众子侄都随往。贾政便在祠旁厢房坐下，叫了贾珍贾琏过来，问起家中事务，贾珍拣可说的说了。贾政又道：『我初回家，也不便来细细查问，只是听见外头说起你家里更不比往前，诸事要谨慎才好。你年纪也不小了，孩子们该管教管教，别叫他们在外头得罪人。琏儿也该听听。不是才回家便说你们，因我有所闻，所以才说的。你们更该小心些。』贾珍等脸涨通红的，也只答应个『是』字，不敢说什么。（粗粗一说，只能起使人脸皮一红的表面作用。抓而不紧，等于不抓。）贾政也就罢了。回归西府，众家人磕头毕，仍复进内，众女仆行礼，不必多赘。

只说宝玉因昨贾政问起黛玉，王夫人答以有病，他便暗里伤心，直待贾政命他回去，一路上已滴了好些眼泪。回到房中，见宝钗和袭人等说话，他便独坐外间纳闷。宝钗叫袭人送过茶去，知他必是怕老爷查问工课，所以如此，只得过来安慰。宝玉便借此说：『你今夜先睡，我要定定神。这时更不如从前，三言可忘两语，老爷瞧了不好。你们先睡罢，叫袭人陪着我。』宝钗听去有理，便自己到房先睡。

宝玉轻轻的叫袭人坐着，央他：「把紫鹃叫来，有话问他。但是紫鹃见了我，脸上嘴里总是有气是的，须得你去解释开了他来才好。」袭人道：「你说要定神，我倒喜欢，怎么又定到这上头了？有话你明儿问不得！」（与袭人谈紫鹃黛玉，无异对牛弹琴。）宝玉道：「我就是今晚得闲，明日倘或老爷叫干什么，便没空儿。好姐姐，你快去叫他来。」袭人道：「他不是二奶奶叫是不来的。」宝玉道：「我所以央你去说明白了才好。」袭人道：「叫我说什么？」宝玉道：「你还不知道我的心也不知道他的心么？都为的是林姑娘。你说我并不是负心的。我如今叫你们弄成了一个负心人了！」说着这话，便瞧瞧里头，用手一指说：「他是我本不愿意的，都是老太太他们捉弄的。好端端把一个林妹妹弄死了。就是他死，也该叫我见见，说个明白，他自己死了也不怨我。你是听见三姑娘他们说的，临死恨怨我。那紫鹃为他姑娘，也恨得我了不得。你想，我是无情的人么？晴雯到底是个丫头，也没有什么大好处，他死了，我老实告诉你罢，我还做个祭文去祭他。那时林姑娘还亲眼见的。如今林姑娘死了，莫非倒不如晴雯么？死了连祭都不能祭一祭。林姑娘死了还有知的，他想起来不更要怨我么？」（这话够直接，也够厉害的了。袭人对此无反应，也不规劝。因为『本不愿意』云云，毫无意义。袭人乃至宝钗，要的是名分，不是『愿意』。）袭人道：「你要祭便祭去，要我们做什么？」（毫不同情，毫无反应。）宝玉道：「我自从好了起来，就想要做一首祭文，不知道我如今一点灵机都没了。（作者或续作者，写到这里，也已是一点灵机都没有了。）若祭别人呢，胡乱却使得；若是他，断断俗俚不得一点儿的。所以叫紫鹃来问他姑娘这条心，他打从那里看出来的。我没病的头里还想得出来，一病以后都不记得。你说林姑娘已经好了，怎么忽然死的？他好的时候，我不去，他怎么说？我病的时候，他不来，他也怎么说？所以他有的东西，我诓过来，你二奶奶总不叫我动，

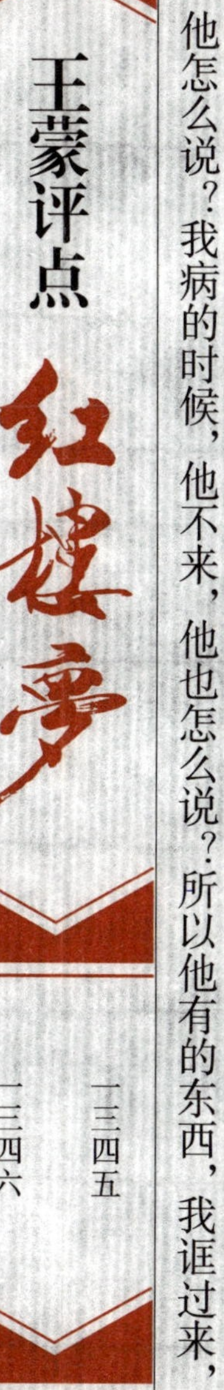

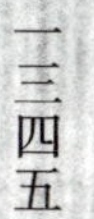
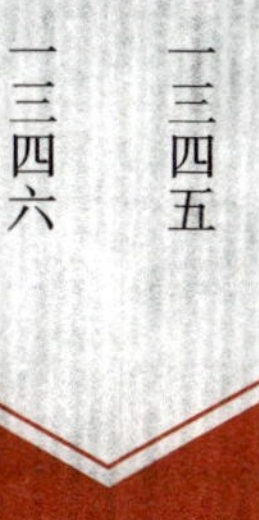

不知什么意思。」袭人道：「二奶奶惟恐你伤心罢了，还有什么？」宝玉道：「我不信。既是他这么念我，为什么临死都把诗稿烧了，不留给我作个记念？又听见说天上有音乐响，必是他成了神，或是登了仙去。我虽见过了棺材，到底不知道棺材里有他没有？」袭人道：「你这话益发糊涂了！怎么一个人不死就搁上一个空棺材里当死了人呢。」宝玉道：「不是嗄！大凡成仙的人，或是肉身去的，或是脱胎去的。好姐姐，你到底叫了紫鹃来。」袭人道：「如今等我细细的说明了你的心。他若肯来，还好；若不肯来，还得费多少话。就是来了，见你也不肯细说。据我的主意，明后日等二奶奶上去了，我慢慢的问他，或者倒可仔细。遇着闲空儿，我再慢慢的告诉你。」宝玉道：「你说得也是，你不知道我心里的着急。」（与袭人的谈话又臭又长，味同嚼蜡。）

正说着，麝月出来说：「二奶奶说：天已四更了，请二爷进去睡罢。袭人姐姐必是说高了兴了，忘了时候儿了。」袭人听了，道：「可不是，该睡了，有话明儿再说罢。」宝玉无奈，只得含愁进去，又向袭人耳边道：「明儿不要忘了。」袭人笑道：「知道了。」麝月笑道：「你们两个又闹鬼了。何不和二奶奶说了，就到袭人那边睡去？由着你们说一夜，我们也不管。」（人心隔肚皮，相隔如隔山。）宝玉摆手道：「不用言语。」袭人恨道：「小蹄子，你又嚼舌根，看我明儿撕你！」回转头来对宝玉道：「这不是二爷闹的？说了四更的话，总没有完。」说到这里，一面说，一面送宝玉进屋，各人散去。

那夜宝玉无眠，到了明日，还思这事。只闻得外头传进话来，说：「众亲朋因老爷回家，都要送戏接风。」（联系前文王仁家唱戏的事，可见当时认为听戏是极大的奢靡作孽。）老爷再四推辞，说唱戏不必，竟在家里备了水酒，倒请亲朋过来，

大家谈谈。于是定了后儿摆席请人，所以进来告诉。』不知所请何人，下回分解。

此回除贾政谢罪略有可警惕者，其他味同嚼蜡，一无可取。醉金刚事亦不过是过场戏。

此回有点蹊跷，终无趣味。或谓风起云涌，风来自四面八方，包括枯井地穴，包括大小薄厚，包括星星点点，无意中积累起来，风高云黑之势已成。

第一百五回　锦衣军查抄宁国府　骢马使弹劾平安州

回目是『查抄宁国府』，但实写的是『荣国府』这边的事。有避实就虚、避重就轻之意。盖这些情节，写来稍一不慎就牵扯到朝廷、锦衣军，直至『今上』，既要写查抄惨状，又不能有微词，既要写查抄的严肃性，又不可写得太狠（必须适当美化），行文实际很难。

话说贾政正在那里设宴请酒，忽见赖大急忙走上荣禧堂来，回贾政道：『有锦衣府堂官赵老爷带领好几位司官，说来拜望。奴才要取职名来回，赵老爷说：「我们至好，不用的。」一面就下车来，走进来了。请老爷同爷们快接去。』贾政听了，心想：『和老赵并无来往，怎么也来？现在有客，留他不便，不留又不好。』正自思想，贾琏说：『叔叔快去罢。再想一回，人都进来了。』

正说着，只见二门上家人又报进来，说：『赵老爷已进二门了。』贾政等抢步接去。只见赵堂官满脸笑容，并不说什么，一径走上厅来。后面跟着五六位司官，也有认得的，也有不认得的，但是总不答话。贾政等心里不得主意，只得跟了上来让坐。众亲友也有认得赵堂官的，见他仰着脸不大理人，只拉着贾政的手笑着说了几句寒温的话。（这一『笑着』尤其令人汗毛倒竖。）众人看见来头不好，也有躲进里间屋里的，也有垂手侍立的。

贾政正要带笑叙话，只见家人慌张报道：『西平王爷到了。』贾政慌忙去接，已见王爷进来。赵堂官抢上去请了安，便说：『王爷已到，随来各位老爷们就该带领府役把守前后门。』众官应了出去。贾政等知事不好，连忙跪接。西平郡王用两手扶起，笑嘻嘻的说道：『无事不敢轻造，有奉旨交办事件，要赦老接旨。如今满堂中筵席未散，想有亲友在此未便，且请众位府上亲友各散，独留本宅的人听候。』（筵席未散，抄家的就来了。来得『可巧』！）赵堂官回说：『王爷虽是恩典，但东边的事，这位王爷办事认真，想是早已封门。』众人知是两府干系，恨不能脱身。（不到此时，不想脱身。）只见王爷笑道：『众位只管就请。叫人来给我送出去，告诉锦衣府的官员说，这都是亲友，不必盘查，快快放出。』那些亲友听见，就一溜烟如飞的出去了。独有贾赦贾政一干人，唬得面如土色，满身发颤。（皇恩能够浩荡，皇威就必然雷霆。）

种种败落，直至贾政降调回来，又在谢罪时遭到质问与警告，但仍然自欺欺人，既无思想与措施准备，到时候又无任何对策，只知『面如土色，满身发颤』。真是酒囊饭袋！

不多一回，只见进来无数番役，各门把守，本宅上下人等一步不能乱走。赵堂官便转过一副脸来，（带笑进来，逐步严肃起来了。）回王爷道：『请爷宣旨意，就好动手。』这些番役都撩衣勒臂，专等旨意。西平王慢慢的说道：『小王奉旨，带领锦衣府赵全来查看贾赦家产。』贾赦等听见，俱俯伏在地。王爷便站在上头说：『有旨意：贾赦交

通外官，依势凌弱，辜负朕恩，有忝祖德，着革去世职。钦此。』赵堂官一叠声叫：『拿下贾赦。其余皆看守。』维时，贾赦、贾政、贾琏、贾珍、贾蓉、贾蔷、贾芝、贾兰俱在，惟宝玉假说有病，在贾母那边打闹，（这种形势下，宝玉当真成了贾府赘疣。）贾环本来不大见人的，所以就将现在几人看住。

赵堂官即叫他的家人传齐司员，带同番役，分头按房，查抄登账。这一言不打紧，唬得贾政上下人等面面相看，喜得番役家人摩拳擦掌，就要往各处动手。（顿时人为刀俎，我为鱼肉矣。）西平王道：『闻得赦老与政老同房各爨的，理应遵旨查看贾赦的家资。其余且按房封锁，我们复旨去，再候定夺。』赵堂官站起来说：『回王爷：贾赦贾政并未分家。闻得他侄儿贾琏现在承总管家，不能不尽行查抄。』西平王听了，也不言语。赵堂官便说：『贾琏贾赦两处须得奴才带领去查抄才好。』西平王便说：『不必忙。先传信后宅，且请内眷回避，再查不迟。』（是写西平王的照顾，更是要写查抄中的圣恩！）一言未了，老赵家奴番役，已经拉着本宅家人领路，分头查抄去了。王爷喝命：『不许罗唣，待本爵自行查看！』说着，便慢慢的站起来要走，又吩咐说：『跟我的人一个不许动，都给我站在这里候着，回来一齐瞧着登数。』

平地一声雷！居安不思危，居危也不思危，自以为根基功德万年不坏，只知坐享荣华富贵。终有今日了！

正说着，只见锦衣司官跪禀说：『在内查出御用衣裙并多少禁用之物，不敢擅动，回来请示王爷。』一回儿，又有一起人来拦住王爷，就回说：『东跨所抄出两箱房地契，又一箱借票，却都是违例取利的。』老赵便说：『好个重利盘剥！很该全抄！请王爷就此坐下，叫奴才去全抄来，再候定夺罢。』（怕的是一个『查』字，一查就完蛋。贾府之事，

如何能见太阳？）说着，只见王府长史来禀说：『守门军传进来说：「主上特派北静王到这里宣旨，请爷接去。」』赵堂官听了，心里喜欢说：『我好晦气，碰着这个酸王！如今那位来了，我就好施威。』一面想着，也迎出来。只见北静王已到大厅，就向外站着说：『有旨意，锦衣府赵全听宣。』说：『奉旨意：着锦衣官惟提贾赦质审，余交西平王遵旨查办。钦此。』西平王领了好不喜欢，便与北静王坐下，着赵堂官提取贾赦回衙。里头那些查抄的人，听得北静王到，俱一齐出来。及闻赵堂官走了，大家没趣，只得侍立听候。北静王便拣选两个诚实司官并十来个老年番役，余者一概逐出。西平王便说：『我正与老赵生气，幸得王爷到来降旨；不然，这里很吃大亏。』北静王说：『我在朝内听见王爷奉旨查抄贾宅，我甚放心，谅这里不致荼毒。不料老赵这么混账。但不知现在政老及宝玉在那里，里面不知闹到怎么样了？』（王爷留情，续作笔下亦极留情。写得太严重了容易见疑，故多留点情面，多称颂圣恩隆渥，多表示罪臣对今上的感激涕零之心。）众人回禀：『贾政等在下房看守着，里面已抄得乱腾腾的了。』北静王便吩咐司员：『快将贾政带来问话。』众人领命，带了上来。贾政跪了请安，不免含泪乞恩。（已成犯官，已被查抄，对皇恩仍是，乃至更是感激涕零。）北静王便起身拉着，说：『政老放心。』便将旨意说了。（倒也有打一巴掌揉一揉的意思。）贾政感激涕零，望北又谢了恩，仍上来听候。王爷道：『政老，方才老赵在这里的时候，番役呈禀有禁用之物并重利欠票，我们也难掩过。这禁用之物，原办进贵妃用的，我们声明也无碍。独是借券，想个什么法儿才好。如今政老且带司员实在将赦老家产呈出，也就了事；切不可再有隐匿，自干罪戾。』（老赵发威也是必要的，王爷迟来一步也是必要的。不来，失之刚，来早了，失之柔。什么事都是辩证之至，矛盾统一之至。）贾政答应道：『犯官再不敢。但犯官祖

父遗产并未分过，惟各人所住的房屋有的东西便为己有。』两王便说：『这也无妨，惟将赦老那一边所有的交出就是了。』又吩咐司员等依命行去，不许胡混乱动。司员领命去了。

且说贾母那边女眷也摆家宴。（值得深思，恰在摆宴的时候查抄者来了。）王夫人正在那边说：『宝玉不到外头，恐他老子生气。』凤姐带病哼哼唧唧的说：『我看宝玉也不是怕人，他见前头陪客的人也不少了，所以在这里照应，也是有的。倘或老爷想起里头少个人在那里照应，太太便把宝兄弟献出去，可不是好？』贾母笑道：『凤丫头病到这地位，这张嘴还是那么尖巧。』

正说到高兴，只听见邢夫人那边的人一直声的嚷进来说：『老太太，太太！不……不好了！多多少少的穿靴带帽的强……强盗来了！翻箱倒笼的来拿东西。』贾母等听着发呆。又见平儿披头散发，拉着巧姐，哭啼啼的来说：『不好了！我正与姐儿吃饭，只见来旺被人拴着进来说：「姑娘快快传进去请太太们回避，外面王爷就进来查抄家产！」我听了着忙，正要进房拿要紧的东西，被一伙人浑推浑赶出来的。咱们这里该穿该带的快快收拾。』王邢夫人等听得，俱魂飞天外，不知怎样才好。独见凤姐先前圆睁两眼听着，后来便一仰身栽倒地下死了。（凤姐是贾府的权力、财富、罪恶的集中代表人物。她怕阳光的事最多，最知道事情的严重性！）贾母没有听完，便吓得涕泪交流，连话也说不出来。

那时，一屋子人，拉那个，扯这个，正闹得翻天覆地。又听见一叠声嚷说：『叫里面女眷们回避，王爷进来了！』可怜宝钗宝玉等正在没法，只见地下这些丫头婆子乱拉乱扯的时候，贾琏喘吁吁的跑进来说：『好了，好了！幸亏王爷救了我们了！』众人正要问他，贾琏见凤姐死在地下，哭着乱叫；又怕老太太吓坏了，急得死去活来，

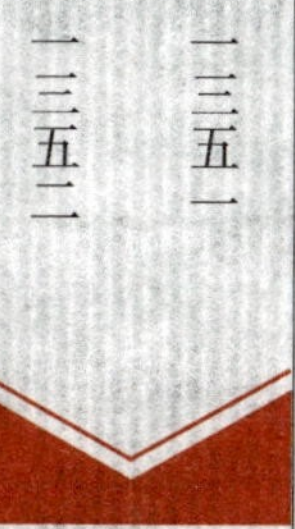

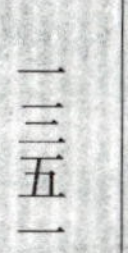

还亏平儿将凤姐叫醒，令人扶着。老太太也回过气来了，哭得气短神昏，躺在炕上，李纨再三宽慰。然后贾琏定神，将两王恩典说明；惟恐贾母邢夫人知道贾赦被拿，又要唬死，且暂不敢明说，只得出来照料自己屋内。一进屋门，只见箱开柜破，物件抢得半空。此时急得两眼直竖，淌泪发呆，听见外头叫，只得出来。见贾政同司员登记物件，一人报说：（也是一笔账目，一纸清单，但不是收租，不是送礼或受礼。清单依旧，滋味不同。）

赤金首饰共一百二十三件，珠宝俱全。珍珠十三挂。倓金盘二件。金碗二对。金抢碗二个。金匙四十把。银大碗八十个。银盘二十个。三镶金象牙箸三把。镀金执壶四把。镀金折盂三对。茶托二件。银碟七十六件。银酒杯三十六个。黑狐皮十八张。青狐皮六张。貂皮三十六张。黄狐皮三十张。猞猁狲皮十二张。麻叶皮三张。洋灰皮六十张。灰狐腿皮四十张。酱色羊皮二十张。猢狸皮二张。黄狐腿二把。小白狐皮二十块。洋呢三十度。哔叽二十三度。姑绒十二度。香鼠筒子十件。豆鼠皮四方。天鹅绒一卷。梅鹿皮一方。云狐筒子二件。貉崽皮一卷。鸭皮七把。灰鼠一百六十张。獾子皮八张。虎皮六张。海豹三张。海龙十六张。灰色羊四十把。黑色羊皮六十三张。元狐帽沿十副。倭刀帽沿十二副。貂帽沿二副。小狐皮十六张。江貉皮二张。獭子皮二张。猫皮三十五张。倭股十二度。绸缎一百三十卷。纱绫一百八十卷。羽线绉三十二卷。氆氇三十卷。妆蟒缎八卷。葛布三捆，各色布三捆。各色皮衣一百三十二件。棉夹单纱绢衣三百四十件。玉玩三十二件。带头九副。铜锡等物五百余件。钟表十八件。朝珠九挂。各色妆蟒三十四件。上用蟒缎迎手靠背三分。宫妆衣裙八套。脂玉圈带一条。黄缎十二卷。潮银五千二百两。赤金五十两。钱七千吊。（从单子上看，一是金珠银玉象牙类，一是皮革、毛皮与其他高级纺织品多。霸占、

人的，那里倒叫人捆起来！我便说我是西府里，就跑出来。那些人不依，押到这里，不想这里也是那么着。我如今也不要命了，和那些人拚了罢！』（由焦大介绍东府被抄的情况，特别有味。）说着撞头。众役见他年老，又是两王吩咐，不敢发狠。便说：『你老人家安静些。这是奉旨的事，你且这里歇歇，听个信儿再说。』贾政听明，虽不理他，但是心里刀绞似的，便道：『完了，完了！不料我们一败涂地如此！』（不给焦大嘴里灌马粪了吗？）

正在着急听候内信，只见薛蝌气嘘嘘的跑进来说：『好容易进来了！姨父在那里？』贾政道：『来的好，但是外头怎么放进来的？』薛蝌道：『我再三央说，又许他们钱，所以我才能够出入的。』贾政便将抄去之事告诉了他，便烦去打听打听，说：『就有好亲，在火头上，也不便送信，是你就好通信了。』薛蝌道：『这里的事，我倒想不到；那边东府的事，我已听见说完了。』贾政道：『究竟犯什么事？』薛蝌道：『今朝为我哥哥打听决罪的事，在衙内闻得有两位御史，风闻得珍大爷引诱世家子弟赌博，这一款还轻；还有一大款是强占良民妻女为妾，因其女不从，凌逼致死。那御史恐怕不准，还将咱们家的鲍二拿去，又还拉出一个姓张的来。只怕连都察院都有不是，为的是姓张的曾告过的。』贾政尚未听完，便跺脚道：『了不得！罢了，罢了！』（到了这时候，什么都兜出来了！一粒火星，便能引起滔天烈焰。腐烂加窝里斗，怎能不垮？）叹了一口气，扑簌簌的掉下泪来。

薛蝌宽慰了几句，即便又出来打听去了。隔了半日，仍旧进来，说：『事情不好。我在刑科打听倒没有听见两王复旨的信，但听得说，李御史今早参奏平安州奉承京官，迎合上司，虐害百姓，好几大款。』贾政慌道：『那管他人的事！到底打听我们的怎么样？』薛蝌道：『说是平安州，就有我们，那参的京官就是赦老爷，说的是包揽词讼，

所以火上浇油。就是同朝这些官府，俱藏躲不迭，谁肯送信？（那是自然。）就如才散的这些亲友，有的竟回家去了，也有远远儿的歇下打听的。可恨那些贵本家便在路上说：「祖宗掷下的功业，弄出事来了，不知道飞到那个头上，大家也好施威。」』贾政没有听完，复又顿足道：『都是我们大老爷忒糊涂，东府也忒不成事体！（知道怨人，不知责己。贾政也是混账东西。）如今老太太与琏儿媳妇是死是活，还不知道呢。你再打听去，我到老太太那边瞧瞧。若有信，能够早一步才好。』正说着，听见里头乱嚷出来，说：『老太太不好了！』急得贾政即忙进去。未知生死如何，下回分解。（贾府不亡，是无天理，早知今日，何必当初？）

如此如此，这般这般，可将此前书中所写的一切，看作此回的准备铺垫。一步一步，一站一站，终于走到了这一站：这是『红的条条道路通向的『罗马』。虽然紧紧勒住了『缰绳』，这一回仍然是惊心动魄！读之心惊肉跳。人皆有不忍之心，读了一百多回了，对贾府也有了点感情了，虽知其黑暗，知道其必败应败——恶贯终将满盈，读到这里，仍然难过。多少经验，多少教训，多少痛苦，多少血泪！谁能学得更聪明些呢？

读宝玉与其父母特别是祖母的故事多了，会产生出一种对贾家的亲切感，盖文本也是与贾相亲的，读到查抄一节，令人产生悲戚。其实，这才叫天网恢恢，疏而不失！